papo com Deus

DEVOCIONAL

papo com Deus

365 MENSAGENS DIÁRIAS QUE A LEVARÃO A UMA NOVA EXISTÊNCIA

CATIA REGIELY

Principis

Esta é uma publicação Principis, selo exclusivo da Ciranda Cultural
© 2023 Ciranda Cultural Editora e Distribuidora Ltda.

Texto Catia Regiely	Produção editorial Ciranda Cultural
Editora Michele de Souza Barbosa	Diagramação Linea Editora
Preparação Eliel S. Cunha	Design de capa Ana Dobón
Revisão Fernanda R. Braga Simon	

Dados Internacionais de Catalogação na Publicação (CIP) de acordo com ISBD

R335p   Regiely, Cátia

   Papo com Deus / Cátia Regiely. - Jandira, SP : Principis, 2023.
   384 p. ; 15,50cm x 22,60cm.

   ISBN: 978-65-5097-130-4

   1. Autoajuda. 2. Fé. 3. Cristianismo. 4. Dedicação. 5. Propósito. 6. Oração.
7. Adoração. I. Título.

                                                              CDD 158.1
2023-1750   CDU 159.92

Elaborada por Lucio Feitosa - CRB-8/8803

Índice para catálogo sistemático:
1. Autoajuda : 158.1
2. Autoajuda : 159.92

1ª edição em 2023
4ª impressão em 2024
www.cirandacultural.com.br
Todos os direitos reservados.
Nenhuma parte desta publicação pode ser reproduzida, arquivada em sistema de busca ou transmitida por qualquer meio, seja ele eletrônico, fotocópia, gravação ou outros, sem prévia autorização do detentor dos direitos, e não pode circular encadernada ou encapada de maneira distinta daquela em que foi publicada, ou sem que as mesmas condições sejam impostas aos compradores subsequentes.

SUMÁRIO

Prefácio 6

Janeiro 8
Fevereiro... 40
Março 69
Abril... 101
Maio... 132
Junho 164
Julho 195
Agosto 227
Setembro 259
Outubro 290
Novembro 322
Dezembro.. 353

PREFÁCIO

Há dezesseis anos tive o prazer de conhecer a escritora deste devocional, minha amada e querida mãe. É com muito amor e gratidão que escrevo este prefácio, com o objetivo de mostrar ao menos 1% de tudo que aprendi e que você poderá acessar nas próximas páginas.

Tenho o privilégio de dizer que nasci em um lar cristão, com pais que sempre me deram o melhor exemplo. Desde cedo, lembro de me sentir diferente das outras pessoas da minha idade, e hoje reconheço que tudo isso aconteceu graças aos princípios e valores que me foram enraizados.

Sempre frequentei a igreja e ouvi a Palavra de Deus, porém, aos 14 anos, com a ajuda de minha mãe, tive a primeira conexão real com Deus Pai. Minha mãe foi quem traçou o caminho para que eu fosse até Jesus, e entendo que ela foi um instrumento do Espírito Santo.

Com a ajuda dela, todos os dias conheço um pouco mais sobre quem sou e descubro o que nasci para viver. Um dos ensinamentos que ela deu é o princípio da verdade. João 8:32 nos diz que: "conhecerão a verdade e a verdade vos libertará". Com verdade olho para mim, reconheço quem tenho sido e entendo que planto hoje os meus resultados de amanhã.

Tenho orgulho de dizer que vi minha mãe descobrir sua real identidade e ser encontrada pelo seu propósito a partir deste princípio. Vi minha mãe se frustrar ao tentar encontrar sua missão, mas também a vi sendo forte e resiliente, permanecendo no processo. Vi minha mãe incompleta ao ser chamada "apenas" de dona de casa, mas também a vi liderando mulheres e ajudando-as a entender que ser "apenas" uma dona de casa é uma dádiva do Senhor. Tenho orgulho de poder dizer que vi minha mãe errar, mas também a vi tendo autorresponsabilidade sobre seus erros. Vi minha mãe perdoando e sendo perdoada. Vi minha mãe restaurando seu casamento e se tornando a mulher que edifica o lar.

Hoje, vejo minha mãe colhendo os frutos de suas boas escolhas e vivendo sua melhor versão, acessando novos níveis de autoconhecimento e espiritualidade e impactando a vida de milhares de mulheres.

Diariamente, minha mãe tem sido um grande exemplo de mulher para mim e para meus irmãos. Vê-la se humilhar, se colocar na submissão de Deus e finalmente descobrir sua missão aqui na terra me impulsiona cada dia mais a seguir seu exemplo. Sou infinitamente grata a Deus por ter sido tão bom comigo ao me dar o privilégio de ser filha da Catia, uma mulher tão sábia que tem muito a agregar na sua vida a partir deste devocional. Sou grata a Ele por receber o melhor exemplo e as melhores ferramentas para descobrir minha real identidade e ser encontrada pelo meu propósito.

Hoje estou aqui para dizer que, assim como eu, você também tem essa oportunidade. Não tenha pressa e utilize esta leitura como início para sua transformação. Viva o processo e desfrute da jornada. O meu desejo é que a sua transformação por meio deste devocional impacte você e a todos que estiverem ao seu redor, mas, principalmente, que ela impacte seu lar, assim como minha mãe impactou o meu.

Deus abençoe você nesta jornada com muita verdade.

Ana Clara Ortis

JANEIRO

COMECE DE NOVO

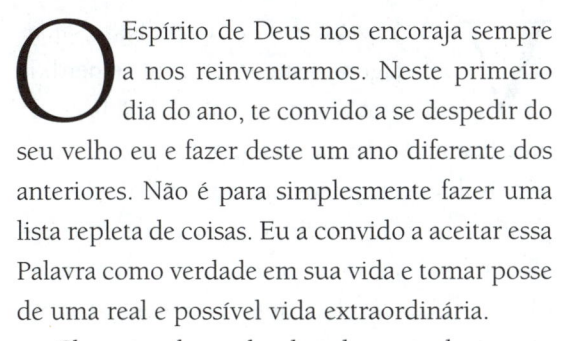

01 JAN

"Estou fazendo novas todas as coisas! Escreva isto, pois estas palavras são verdadeiras e dignas de confiança."
Apocalipse 21:5

O Espírito de Deus nos encoraja sempre a nos reinventarmos. Neste primeiro dia do ano, te convido a se despedir do seu velho eu e fazer deste um ano diferente dos anteriores. Não é para simplesmente fazer uma lista repleta de coisas. Eu a convido a aceitar essa Palavra como verdade em sua vida e tomar posse de uma real e possível vida extraordinária.

Chegou a hora de abandonar tudo que te impede de avançar. O primeiro passo é você decidir por novos comportamentos. Uma vida nova começa com novos hábitos, e existe um passo a passo para isso: novas experiências geram novos comportamentos, que geram novos hábitos, que constroem novos resultados.

Você está preparada para viver o melhor ano da sua vida? Então traga a consciência de quais comportamentos você precisa abandonar, e para cada um deles escreva o que você fará diferente.

"Sempre é possível fazer tudo de novo."

ANOTAÇÕES
_____
_____
_____
_____
_____
_____
_____
_____
_____
_____

02 JAN

EXISTE UM CAMINHO

"Eu sou o Caminho, a Verdade e a Vida. Ninguém vem ao Pai a não ser por mim."
João 14:6

"A caminhada me forja e me prepara para o destino."

ANOTAÇÕES
_____
_____
_____
_____
_____
_____
_____
_____

Você já tentou buscar respostas e saídas para algumas situações e viu-se perdida em meio a sua caminhada? Pois tenho uma boa notícia para você hoje: Jesus é o caminho. Nele encontramos todas as verdades de que precisamos para eliminar as mentiras que nos afastam de uma caminhada plena e abundante; Ele é a vida completa que nosso coração tanto almeja.

Talvez você seja aquela pessoa fazedora, tão ocupada, tão apressada, que nem sabe como tem caminhado ou, pior, para onde tem caminhado. Te convido neste momento a tomar a melhor decisão da sua vida: entregar seus passos para o Senhor, porque a caminhada com Ele a levará a um novo nível em todas as áreas da sua vida.

Prepare-se, pois será uma incrível jornada em verdade e vida abundante.

NÃO TENHA MEDO

03 JAN

"Mesmo quando eu andar por um vale de trevas e morte, não temerei perigo algum, pois tu estás comigo; a tua vara e o teu cajado me protegem."
Salmos 23:4

Há muitos momentos em que chegamos a pensar que Deus nos esqueceu, pois o sofrimento é tão grande que parece não ter fim. Nessas horas, não nos lembramos de tantas coisas que Ele já fez por nós, quantos livramentos, quanto cuidado, quantas batalhas Ele já venceu por nós.

Eu não sei qual situação tem tirado sua paz, sua alegria, seu bom ânimo, mas estou aqui para te lembrar de que você não precisa ter medo. Muitas vezes as distrações do dia a dia nos tiram o foco das promessas de Deus para nós, o desânimo vira um companheiro e o medo, um aliado. Por isso, meu convite a você hoje é: mesmo quando andar pelos vales das suas dificuldades, não se esqueça de que há alguém assegurando que você não está sozinha. Então prossiga!

"Filha, não tema perigo algum, eu estou contigo."

ANOTAÇÕES

04 JAN

COMECE A PROFETIZAR

> *"Todos tropeçamos de muitas maneiras. Se alguém não tropeça no falar, tal homem é perfeito, sendo também capaz de dominar todo o seu corpo."*
> **Tiago 3:2**

Qual foi a primeira coisa que você falou hoje ao sair da cama? Sobre o que você tem conversado o dia todo? A morte e a vida estão no poder da língua. Chegou a hora de você começar a construir uma narrativa de vitória. Pense que hoje você pode tornar seu dia totalmente diferente se decidir controlar tudo o que sai da sua boca.

Comece a usar sua voz para profetizar sobre tudo aquilo que desagrada seu coração. Olhe para os cenários desfavoráveis e profira palavras de bênçãos, palavras de vida, palavras de vitória. Coloque em sua mente que a partir de hoje seu pensamento será vitorioso, de prosperidade, de ousadia. Ao fazer isso, começará a construir um novo papel para sua vida. O papel de alguém que nasceu para viver uma vida plena e abundante.

> **"A morte e a vida estão no poder da língua; o que bem a utiliza come do seu fruto."**

ANOTAÇÕES
_____
_____
_____
_____
_____
_____
_____
_____

TEMPO DE RENOVAÇÃO

05 JAN

Mas aqueles que esperam no Senhor renovam as suas forças. Voam alto como águias; correm e não ficam exaustos, andam e não se cansam.
Isaías 40:31

Quantas vezes criamos muitas expectativas em relação a algo novo. Um projeto novo, uma casa nova, um carro novo. Quanto planejamento fazemos de um ano para outro, para assim viver coisas excepcionais. No entanto, também existem muitos momentos em nossa caminhada em que ficamos assombradas com o que está por vir.

Medos emocionais de situações que não foram resolvidas, insegurança financeira, medo do futuro. Todas nós já sofremos por viver situações apavorantes. O texto do profeta Isaías nos faz refletir sobre termos esperanças renovadas para que os dias que ainda vamos viver sejam melhores, mais espetaculares.

Para que isso seja possível, decida ter esperança em seus pensamentos. Não deixe de crer que o nosso Deus é o Deus da esperança, da renovação e das oportunidades.

"Seus sonhos se realizarão na medida em que você andar nas promessas do Senhor."

ANOTAÇÕES

06 JAN

ELE TE ESCOLHEU

> "Mas Deus escolheu o que para o mundo é loucura para envergonhar os sábios, e escolheu o que para o mundo é fraqueza para envergonhar o que é forte."
> **1Coríntios 1:27**

Nossas fraquezas muitas vezes limitam nossa visão. Quando olhamos para a bagunça que somos, logo pensamos: "Deus jamais escolheria alguém como eu". Mas Deus trabalha por intermédio de pessoas imperfeitas. Somos falhos e fracos, mas ainda assim Deus decidiu nos escolher.

Talvez você esteja paralisada, sem inciativa, sem encontrar uma razão pela qual Deus pode ter interesse em sua vida. Mas deixa eu te dizer uma coisa: Deus sabe exatamente quem é você. Ele te conhece e, ainda assim, escolheu te amar.

Então, alegre-se neste dia e encontre a confiança necessária no Senhor para realizar tudo aquilo que Ele tem colocado em seu coração. Lembrando que a capacidade não vem exclusivamente de você, mas do Deus que habita em você.

"Ele escolhe o que para o mundo é fraqueza e transforma em fortaleza."

ANOTAÇÕES
_____
_____
_____
_____
_____
_____
_____

Catia Regiely

UM POSICIONAMENTO

07
JAN

É natural em meio a nossa jornada nos sentirmos cansadas. A fadiga muitas vezes é nossa maior aliada para justificarmos todo nosso mau comportamento. E olha que não estou falando do cansaço físico; refiro-me ao cansaço mental. Esse é o pior!

Muitas vezes olhamos para o cenário da nossa vida e nos desesperamos, porque não sabemos por onde começar. É tanta coisa para pôr no lugar.

Independentemente da sua guerra atual, se você está com este livro nas mãos, Deus te dará uma nova estratégia hoje. Ele está dizendo que você não precisa se sentir exausta assim, porque essa guerra não é sua. Você apenas precisa tomar duas decisões; se posicionar e permanecer firme em todas as frentes da sua vida.

Permaneça em Jesus e entre no descanso de Deus. Espere no Senhor continuamente com os olhos fixos Nele, fazendo o que Ele te dirigir a fazer.

"Vocês não precisarão lutar nessa batalha. Tomem suas posições, permaneçam firmes e vejam o livramento que o Senhor lhes fará…"
2Crônicas 20:17

"Um posicionamento correto nos livra de guerras desnecessárias."

ANOTAÇÕES
_____
_____
_____
_____
_____
_____
_____
_____
_____

08 JAN

ENCONTRE PAZ EM MEIO ÀS PREOCUPAÇÕES

"Não andem ansiosos por coisa alguma, mas em tudo, pela oração e súplicas, e com ação de graças, apresentem seus pedidos a Deus."

Filipenses 4:6

Nossa vida cotidiana muitas vezes nos leva a enfrentar preocupações e ansiedade. Os desafios no trabalho, as demandas da família, as preocupações financeiras e os problemas de saúde podem nos sobrecarregar.

Paulo nos instrui a orar "com ação de graças" em toda situação. É uma tarefa simples, mas que não praticamos no dia a dia porque estamos ocupadas demais para parar e apresentar a Deus nossas adversidades em forma de gratidão. Paulo nos orienta a sermos gratas pelas adversidades. Não é fácil olhar para um problema e dizer: "Deus, obrigada por isso!". Mas, se ousarmos fazer isso, seremos levadas a outro nível de paz interior.

Meu convite a você neste dia é simples mas poderoso: decida ser grata por toda dor que você tem enfrentado.

"Em Jesus encontramos a paz que o mundo não pode entender."

ANOTAÇÕES

Catia Regiely

SOMENTE DEUS NOS TRANSFORMA

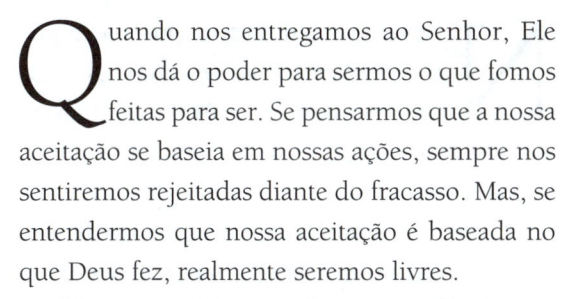

09 JAN

Fui crucificado com Cristo. Assim, já não sou eu quem vive, mas Cristo vive em mim.
Gálatas 2:20

Quando nos entregamos ao Senhor, Ele nos dá o poder para sermos o que fomos feitas para ser. Se pensarmos que a nossa aceitação se baseia em nossas ações, sempre nos sentiremos rejeitadas diante do fracasso. Mas, se entendermos que nossa aceitação é baseada no que Deus fez, realmente seremos livres.

Só teremos êxito se andarmos por fé, não por obras. Não é pelo que somos, mas por quem Ele é em nós. Não podemos aperfeiçoar a nós mesmas, e quando tentamos fazer isso não conseguimos nada além de muitas frustrações.

Ao viver verdadeiramente o evangelho, nossa vida começa a se transformar, mudam os nossos hábitos, pensamentos e sentimentos. Precisamos ter coragem de olhar diariamente para nossas vulnerabilidades e entender que somente a graça de Deus pode nos transformar para alcançar a vida que Ele tem planejado para nós.

"Só vamos ter êxito quando andarmos por fé, não por obras."

ANOTAÇÕES

10 JAN

APERFEIÇOAMENTO NA FRAQUEZA

"Mas ele me disse: Minha graça é suficiente para você, pois o meu poder se aperfeiçoa na fraqueza. Portanto, eu me gloriarei ainda mais alegremente em minhas fraquezas, para que o poder de Cristo repouse em mim."
2Coríntios 12:9

Ninguém gosta de expor a própria fraqueza. Entretanto, Paulo diz que se glorifica em suas fraquezas. Por quê? Porque ele sabe que a força de Deus é grande diante da debilidade dele.

A Bíblia nos ensina que a graça de Deus é suficiente para nos sustentar em qualquer situação. Quando você admite a sua fragilidade, Deus derrama a força Dele sobre a sua vida.

Portanto, em nossas lutas e perante as dificuldades, podemos ter certeza de que a graça de Deus é suficiente para nos sustentar. Não precisamos nos preocupar ou nos desesperar, mas podemos confiar que Deus nos dará a força e a ajuda de que precisamos.

"A graça de Deus te basta."

ANOTAÇÕES

Catia Regiely

DIGA "SIM" A SUA MISSÃO

11 JAN

"Disse-lhe o Senhor: Quem deu boca ao homem? Quem o fez surdo ou mudo? Quem lhe concede vista ou o torna cego? Não sou eu, o Senhor?"
Êxodo 4:11

Existem momentos em que a insegurança falará mais alto. Em uma missão dada por Deus a Moisés, qual foi a primeira reação dele? Sentir-se incapaz. Ele achou que Deus havia escolhido a pessoa errada. Será que Deus não conhecia as qualidades e as deficiências dele?

Você já viveu isso? Pois bem, nosso erro é achar que Deus só escolhe pessoas perfeitas. Esquecemos que a perfeição não está disponível para a humanidade. Ela só existe em Deus. Você já se deixou paralisar por inseguranças e medos diante de determinadas situações?

Saiba que Deus permite que passemos por esses momentos porque Ele deseja nos levar para um nível acima. Quando ficamos parados, não crescemos. Chegou a hora de parar de se preocupar com o que não consegue fazer. Diga sim para aquilo que Deus te pede. Saia desse lugar de comodismo, de baixa autoestima, de medo e insegurança.

Não fuja! Encare! Deus tem um propósito para sua vida, e você só precisa confiar.

"Sempre que Ele te chamar, Ele te preparará."

ANOTAÇÕES

12 JAN

A CAPACIDADE INFINITA DE DEUS

"Aquele que é capaz de fazer infinitamente mais do que tudo que pedimos ou pensamos, de acordo com o seu poder que atua em nós."

Efésios 3:20

Deus é capaz de fazer infinitamente mais do que tudo que poderíamos ousar esperar, pedir ou pensar, de acordo com o Seu poder que opera em nós. Às vezes nos encontramos diante de desafios que parecem insuperáveis, de sonhos que parecem impossíveis. Em tais momentos, a promessa escrita em Efésios 3:20 nos enche de esperança e nos lembra do incrível poder de Deus que está à nossa disposição. Há uma promessa sobre sua vida, e Paulo está dizendo que Deus é poderoso para fazer infinitamente mais do que aquilo que almeja o seu coração ou do que sua mente possa acessar.

Isso significa que o poder de Deus transcende nossas expectativas e imaginações. Quando oramos e sonhamos, nossos limites são baseados em nossa compreensão, mas Deus opera em um plano muito maior. Então, hoje, ore para que Deus a surpreenda. Ore para que ele faça coisas em sua vida que você nunca imaginou serem possíveis. E confie que ele é capaz de fazer muito mais do que um dia você já imaginou que Ele pudesse fazer.

"O Deus que servimos é Deus de surpresas."

ANOTAÇÕES
_____
_____
_____
_____
_____
_____
_____
_____

GUARDIÕES DO NOSSO CORAÇÃO

13 JAN

"Acima de tudo, guarda seu coração, pois dele depende toda a sua vida."
Provérbios 4:23

Hoje Deus nos chama para sermos guardiões do nosso coração, confirmando que ele é o ponto central da nossa existência. Assim como um jardim precisa de cuidado constante para florescer, nosso coração necessita de atenção e discernimento diário.

Cada emoção que acolhemos, cada pensamento que nutrimos moldam nossa perspectiva e impactam nossas interações. Se permitirmos que a negatividade e o ódio se enraízem, colheremos amarguras. Se cultivarmos amor e compaixão, nossa colheita será de paz e alegria.

Uma maneira simples de entender como tem guardado seu coração é se perguntar: você se sente feliz e realizada? Ou entende que poderia desfrutar de coisas muito maiores e melhores e não tem conseguido?

Paulo escreve em Filipenses 4:8 para nos afastarmos das coisas más e gastar nossos pensamentos com coisas boas. Portanto, hoje é o dia para começar a eliminar informações negativas que chegam a você. Essa atitude poderá mudar a sua vida se você começar, de maneira intencional, a ter essa verdade como estilo de vida.

"Seu coração determina sua vida."

ANOTAÇÕES

14 JAN

"Não perturbe o coração de vocês. Creiam em Deus, creiam também em mim."
João 14:1

"Pense a respeito do que você tem pensado."

ANOTAÇÕES
_____
_____
_____
_____
_____
_____
_____
_____

COMECE A ADMINISTRAR SEUS PENSAMENTOS

Você já percebeu quanto nós pensamos em problemas? Muitas vezes passamos o dia todo aflitas, questionando o momento que estamos vivendo. Não usamos a mente para criar estratégias ou novos caminhos, ficamos o tempo todo preocupadas com as situações que ainda não se resolveram. Jesus nos ensina a descansar, Nele confiar, Nele depositar todos os nossos anseios e preocupações. Porém isso é tão difícil, não é?!

E sabe por que é assim? Porque somos orgulhosas demais para descansar. Temos sempre a pretensão de que, em todas as situações difíceis, vamos conseguir resolver somente com a força de nossos braços. Precisamos aprender a descansar no Senhor.

Que hoje você encontre esse lugar de paz que só pode ser encontrado em Jesus. Comece a administrar seus pensamentos e desfrute, com sabedoria, da paz que excede todo entendimento.

Catia Regiely

REVISTA-SE

15 JAN

"Reveste-se de força e dignidade; sorri diante do futuro. Fala com sabedoria e ensina com amor."

Provérbios 31:25-26

Podemos entender, pelos ensinamentos de Provérbios, que temos o poder de escolha todos os dias. Quando nos levantamos, fazemos uma escolha. Na maioria das vezes fazemos isso de maneira automática. Reclamamos, não raro praguejamos. Mas você já pensou que todas nós podemos trocar esse comportamento por confiança no Senhor? Salomão, em sua sabedoria, nos ensina que, assim como escolhemos coisas em nosso cotidiano, podemos escolher nossas vestes espirituais de maneira intencional.

Todas as manhãs temos a oportunidade de nos revestir de força, de escolher uma fala com sabedoria e mansidão. Temos a oportunidade de escolher! Que a partir de hoje você comece a acordar de forma intencional e direcione suas escolhas para aquilo que a tornará uma pessoa sábia, que sabe fazer escolhas que edificam sua vida.

Escolha vestir a paz e o amor.

"Todas as manhãs temos a oportunidade de nos revestir de força."

ANOTAÇÕES
_____
_____
_____
_____
_____
_____
_____
_____
_____

16 JAN

VENCENDO O MEDO

"Não temas, porque eu sou contigo; não te assombres, porque eu sou o teu Deus; eu te fortaleço, e te ajudo, e te sustento com a minha destra fiel."
Isaías 41:10

"Em Deus, vencemos o medo!"

ANOTAÇÕES
_____
_____
_____
_____
_____
_____
_____
_____

O medo pode ser como uma sombra que tenta obscurecer nossa fé e confiança em Deus. Porém, as Escrituras nos lembram que o Senhor está conosco em cada passo da jornada. Quando nos deparamos com o medo, precisamos nos agarrar à promessa divina de que Ele fortalecerá, ajudará e sustentará cada uma de nós.

Em nossas lutas diárias, enfrentamos o desconhecido, a incerteza e os desafios que podem ameaçar abalar nossa paz interior. No entanto, é fundamental lembrar que o Deus que nos chama a não temer é o mesmo que comanda os ventos e as ondas. Ele é fiel para nos capacitar a superar qualquer temor que se levante diante de nós.

Portanto, encare cada dia com a confiança de que Deus está conosco. O medo pode se apresentar, mas não precisamos ceder a ele. Nossa fé é mais forte do que qualquer preocupação, pois somos guiadas por Deus, que nos sustenta. Seu amor lança fora todo medo; em Sua presença, encontre a coragem para enfrentar qualquer desafio.

SEJA VOCÊ

17 JAN

"Todavia, as parteiras temeram a Deus e não obedeceram às ordens do rei do Egito; deixaram viver os meninos."
Êxodo 1:17

Era um novo tempo. José havia morrido, e no governo do Egito estava um novo faraó, que ordenou às parteiras Sifrá e Puá que matassem os meninos assim que nascessem. Elas ouviram as ordens, mas não obedeceram a elas, pois temiam a Deus mais do que ao faraó. O que podemos aprender com essas mulheres tão corajosas e autênticas? Você já percebeu que vivemos em uma sociedade que sofre a ditadura da cópia? As pessoas estão sempre querendo nos dizer quem devemos ser.

Ter referências é realmente maravilhoso, é essencial na vida de qualquer pessoa, mas nunca uma referência deve diminuir seu valor e quem você é. Deus nos chamou para sermos nós mesmas. Nossa singularidade tem muito poder.

Olha como isso é muito sério: quando não sabemos quem somos, podemos correr o risco de acreditar em qualquer mentira que contam ao nosso respeito.

Só existe uma maneira de não alcançarmos nosso destino: quando acreditamos nas mentiras que satanás conta sobre quem nós somos.

Se você deseja viver seu propósito aqui na terra, precisa tomar a decisão de parar de aceitar rótulos mentirosos sobre sua identidade.

Deus te dá poder e autoridade para assumir sua real identidade, então faça um favor ao seu destino: SEJA VOCÊ!

"Se você deseja cumprir sua missão, precisa parar de aceitar rótulos."

ANOTAÇÕES

18 JAN

SUPERANDO DESAFIOS

"Tudo posso naquele que me fortalece."
Filipenses 4:13

"Com Deus, somos invencíveis."

ANOTAÇÕES

_____
_____
_____
_____
_____
_____
_____

A vida é repleta de desafios, obstáculos que muitas vezes parecem intransponíveis. No entanto, a promessa da Escritura em Filipenses nos lembra que com Deus ao nosso lado somos capazes de superar qualquer desafio que surja em nosso caminho. Ao enfrentarmos desafios, é fácil nos sentirmos sobrecarregadas e limitadas. Mas a verdade é que, quando confiamos em Deus e buscamos Sua força, descobrimos que nossos limites humanos são ampliados pela Sua graça.

A chave para superamos desafios é considerar que não estamos sozinhas. Deus é nosso aliado constante, nossa rocha e nosso refúgio. Ele nos fortalece, capacitando-nos para enfrentar as adversidades com coragem e fé.

Com a força que vem de Deus, nenhum desafio é insuperável, por mais difícil que seja. Lembre-se disso.

Catia Regiely

MUDE SUA MENTALIDADE

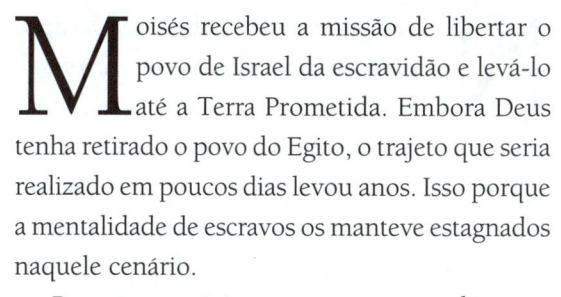

19 JAN

> "...E o povo falou contra Deus e contra Moisés: 'Por que nos fizeste subir do Egito para que morrêssemos neste deserto?'"
>
> **Números 21:4**

Moisés recebeu a missão de libertar o povo de Israel da escravidão e levá-lo até a Terra Prometida. Embora Deus tenha retirado o povo do Egito, o trajeto que seria realizado em poucos dias levou anos. Isso porque a mentalidade de escravos os manteve estagnados naquele cenário.

Pergunto: será que estamos renovando nossa mentalidade para acessar as promessas de Deus sobre nós? Ou vivemos de lamúrias, focadas no passado, em situações que ainda não aconteceram como gostaríamos? Quais comportamentos estão se repetindo hoje em nossa vida?

Ao escolhermos caminhar em direção a um futuro melhor, é preciso mudar as perspectivas. Com a mente presa ao passado, jamais conseguiremos triunfar sobre as promessas que temos em Deus.

> "Com a mente presa ao passado, jamais conseguiremos triunfar sobre as promessas que temos em Deus."

ANOTAÇÕES

20 JAN

> "A fé é a certeza daquilo que esperamos e a prova das coisas que não vemos."
> **Hebreus 11:1**

"Em fé, encontramos força."

ANOTAÇÕES

FÉ INABALÁVEL: A ROCHA EM QUE CONFIAMOS

Nossa vida é uma jornada de fé. Dia após dia enfrentamos desafios e incertezas, mas existe uma fé que nos sustenta, que vem da confiança profunda em Deus. Ela é como uma rocha firme sob nossos pés, que nos dá esperança e força de que dias melhores virão.

Assim como a Palavra em Hebreus nos lembra, a fé é a certeza do que esperamos e a prova do que não vemos. Quando mantemos uma fé inabalável, somos capazes de enfrentar desafios com coragem, sabendo que Deus está conosco.

Quero estimular você hoje a despertar uma fé que vem do alto, a fé que a livra da dúvida e a leva para uma confiança de que as adversidades não tirarão a paz do seu coração. Mesmo quando enfrentamos tribulações, podemos ter a certeza de que Deus está operando todas as coisas para o nosso bem.

Catia Regiely

DESCOBRINDO MINHA IDENTIDADE EM JESUS

21 JAN

"Eu te louvo, pois eu fui formado de maneira maravilhosa; maravilhosas são as tuas obras, e a minha alma o sabe bem".
Salmos 139:14

Deus nos vê por intermédio de Cristo. É Cristo quem molda nossa identidade. Às vezes a vida nos faz questionar a nossa identidade e nosso propósito. Nesses momentos, é fundamental voltarmos os olhos para Deus, nosso Criador, que nos revela quem realmente somos. Pela fé em Cristo Jesus, somos filhas de Deus.

Essa verdade é revolucionária. Ela significa que nossa identidade não é determinada pelas experiências que já vivemos, pelas opiniões dos outros, pelas estatísticas ou pelas nossas próprias inseguranças. Somos amadas, aceitas e escolhidas por Deus.

Quando compreendemos nossa identidade em Deus, encontramos uma fonte inabalável de confiança e autoestima. Quando nos enxergamos como filhas, nossa perspectiva muda. Passamos a viver com um senso de propósito e uma confiança que vêm da nossa conexão com o Pai Celestial.

"Em Deus, descubro quem realmente sou."

ANOTAÇÕES

22 JAN

> *"Fixamos os olhos em Jesus, autor e consumidor da nossa fé."*
> **Hebreus 12:2**

"Olhos em Jesus, coração em paz."

ANOTAÇÕES

PARA ONDE VOCÊ TEM OLHADO?

Nossos olhos são como janelas para a alma, e para onde os direcionamos é moldada nossa perspectiva e influenciada a nossa jornada. Em meio às adversidades da vida, é fundamental refletirmos sobre a direção para a qual estamos olhando. Com frequência somos tentadas a olhar para as situações, preocupações e distrações que nos cercam. No entanto, quando nossa atenção se desvia de Jesus, perdemos a perspectiva e a paz.

Ao olhamos para Jesus, encontramos esperança, coragem e propósito. A direção para a qualidade do olhar também diz respeito à nossa fé. Olhar para Jesus significa colocá-lo no centro da nossa vida. Significa buscá-lo diariamente em oração, ler a Palavra e seguir seus ensinamentos. Mantenha os olhos fixos nele, seu Salvador e Senhor.

Busque a orientação e o poder que Ele oferece. Deixe-o moldar seu coração, sua mente e ações à imagem Dele.

Catia Regiely

VOCÊ ESTÁ PRONTA?

23 JAN

"Antes, santifiquem Cristo como Senhor no coração. Estejam sempre preparados para responder a qualquer pessoa que peça a razão de esperança que há em vocês."
1 Pedro: 3:15

A vida é uma jornada repleta de oportunidades e desafios. Você está pronta? Estar pronta não significa apenas estar preparada para o que a vida traz, mas também estar preparada para cumprir o propósito que Deus tem para você.

Preparar-se para o propósito significa viver uma vida de fé, confiança e espera em Deus. Significa estar disposta a aprender, crescer e se adaptar às mudanças. Significa buscar a Deus, permitindo que Ele molde seu caráter e direcione seus passos.

Lembre-se de que a preparação para seu propósito não é uma jornada solitária. Deus está ao seu lado, capacitando você com Sua graça e direcionando seus passos.

Esteja pronta para confiar nele e seguir Sua orientação.

"Pronta para o propósito, vivo com esperança."

ANOTAÇÕES

24 JAN

DOMANDO A LÍNGUA

"A língua tem poder sobre a vida e sobre a morte; os que gostam de usá-la comerão do seu fruto."

Provérbios 18:21

Nossas palavras têm um poder incrível. Elas podem construir ou destruir, curar ou ferir, inspirar ou desanimar. O versículo de Provérbios 18:21 nos lembra do impacto profundo que nossas palavras têm em nossa vida e na vida daqueles que estão ao nosso redor.

Domar a língua não é tarefa fácil, mas é uma jornada essencial para viver uma vida que honra a Deus. Quando aprendemos a usar as palavras com sabedoria, caminhamos em um novo nível de direção espiritual. Devemos estar atentas às palavras que saem de nossos lábios e ao impacto que elas têm.

Precisamos aprender a pensar antes de falar e a considerar como nossas palavras atentam os outros. Devemos sempre pedir a Deus para nos capacitar a usar as nossas palavras com amor, graça e sabedoria. Ele pode transformar nossas palavras e usá-las para abençoar e edificar.

"Palavras que curam, corações que prosperam."

ANOTAÇÕES

O PODER DO HÁBITO

25 JAN

"Assim como o ferro afia o ferro, o homem afia o seu comportamento."
Provérbios 27:17

Os hábitos podem ser nossos maiores aliados ou nossos piores inimigos. Quando cultivamos o hábito da oração, da leitura da Palavra e da gratidão, fortalecemos nossa comunhão com Deus, e assim experimentamos novos níveis de fé e milagres. Esses hábitos nos capacitam a enfrentar as adversidades, pois estamos enraizados na Palavra de Deus.

Por outro lado, hábitos específicos, como a murmuração, o julgamento e a procrastinação, podem nos distanciar de Deus e dos outros. Eles podem nos impedir de crescer espiritualmente e nos manter presas ao passado.

Será que você consegue identificar em poucos minutos quais hábitos a estão fazendo crescer e quais têm destruído a melhor versão que existe em você? Somente você pode mudar isso. O primeiro passo é considerar quais hábitos precisam ser ajustados. Em seguida, buscar a ajuda de Deus, lugares e pessoas certos para nos fortalecer nessa jornada de transformação.

Lembre-se: os hábitos não apenas moldam nossa vida, mas também impactam aqueles ao nosso redor.

"Hábitos moldam vidas; escolha os que glorificam a Deus."

ANOTAÇÕES

26 JAN

FRUTOS DO ESPÍRITO

> *"Mas o fruto do Espírito é amor, alegria, paz, paciência, amabilidade, bondade, fidelidade, mansidão e domínio próprio."*
>
> **Gálatas 5:22-23**

"Cultive os frutos do Espírito, floresça em Cristo."

ANOTAÇÕES

O amor é o alicerce de todos os outros frutos. É um amor que transcende emoções passageiras, que perdoa, que busca o bem do próximo.

A alegria não depende das situações, mas flui da presença de Deus em nossa vida. A paz excede todo entendimento, que acalma nosso coração, mesmo em meio às tempestades. Paciência, amabilidade, gentileza e fidelidade são frutos que nos fazem melhores amigas, parceiras e filhas. São frutos que nos permitem amar como Jesus amou. A mansidão nos ajuda a responder com graça em momentos de conflito, enquanto o domínio próprio nos permite vencer as tentações e viver com autocontrole.

Hoje convido você a refletir sobre esses frutos em sua vida. Como estão crescendo? Em que área você pode buscar mais de Deus para que eles floresçam abundantemente? Lembre-se: quanto mais nos aproximamos de Deus, mais esses frutos se manifestam em nós.

QUE VOZES VOCÊ TEM OUVIDO?

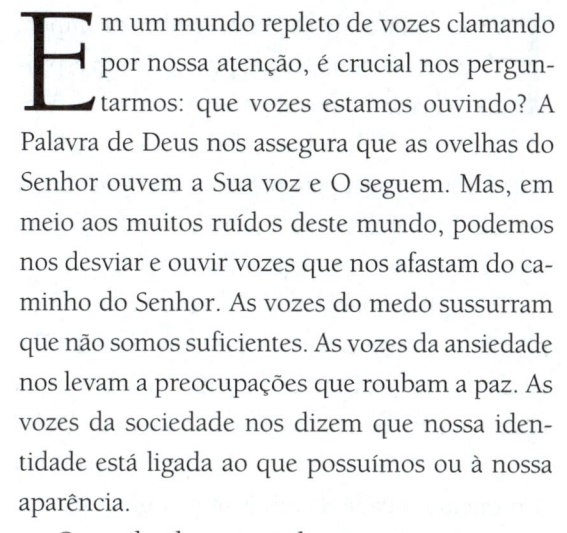

27 JAN

"As minhas ovelhas ouvem a minha voz; eu as conheço, e elas me seguem."
João 10:27

Em um mundo repleto de vozes clamando por nossa atenção, é crucial nos perguntarmos: que vozes estamos ouvindo? A Palavra de Deus nos assegura que as ovelhas do Senhor ouvem a Sua voz e O seguem. Mas, em meio aos muitos ruídos deste mundo, podemos nos desviar e ouvir vozes que nos afastam do caminho do Senhor. As vozes do medo sussurram que não somos suficientes. As vozes da ansiedade nos levam a preocupações que roubam a paz. As vozes da sociedade nos dizem que nossa identidade está ligada ao que possuímos ou à nossa aparência.

Quero lembrar você de que a única voz que importa é a voz de Deus. Ele nos chama pelo nome, nos conhece intimamente e nos guiará pelo caminho da verdade e do amor. Hoje, desafio você a sintonizar sua vida com a voz de Deus. Como fazemos isso? Por meio da oração, da leitura da Palavra e do tempo de silêncio da Sua presença. É nesses momentos que Ele fala conosco, trazendo direção, consolo e paz.

Escolha ouvir a voz daquele que te conhece profundamente e que te ama. Ele é a voz que nos guia para a vida abundante que Ele planejou para nós.

"Ouça a voz de Deus, siga Sua direção."

ANOTAÇÕES

28 JAN

UM NOVO CORAÇÃO

"Criai em mim, ó Deus, um coração puro, e renova dentro de mim um espírito inabalável."
Salmos 51:10

Esse clamor de Davi nos lembra da importância de um coração puro e de um espírito firme em nossa jornada com Deus. Um "novo coração" busca a santidade, se arrepende de seus erros e anseia pela presença de Deus. É um coração que ama o que é justo e se esforça para viver segundo os princípios do Senhor.

O "Espírito inabalável" é a certeza que nos faz permanecer firmes nas tempestades da vida. É a confiança de que Deus está sempre conosco e nos sustentará. É a determinação de não sermos abaladas pelos altos e baixos da vida e permanecermos firmes em nossa fé. Lembre-se de que Deus está pronto para criar em você um novo coração e renovar seu espírito.

Deixe que esse Salmo seja seu próprio clamor a Deus. Peça-lhe para criar em você um coração puro, para purificar o que está manchado e para florescer seu espírito. Ele é fiel e responderá ao seu desejo de uma vida transformada.

"Deus renova, você recomeça."

ANOTAÇÕES
_____
_____
_____
_____
_____
_____
_____

DESAFIANDO GIGANTES

A história de Davi e Golias é uma poderosa lembrança de que, com Deus ao nosso lado, podemos desafiar até os gigantes mais assustadores que enfrentamos. Golias era uma ameaça imensa, mas Davi enfrentou-o com uma fé inabalável. Quantas vezes nos deparamos com gigantes em nossa vida? Podem ser problemas, medos, dúvidas ou desafios aparentemente insuperáveis. No entanto, o mesmo Deus que estava com Davi naquele campo de batalha está conosco hoje.

Quando confiamos em Deus e agimos em Seu nome, nossos gigantes perdem sua força. Lembre-se de que a batalha não é sua, mas do Senhor.

Davi enfrentou Golias com uma pedra, mas a verdadeira arma era sua fé. Hoje, desafie os gigantes em sua vida com a mesma ousadia. Confie em Deus, coloque seu nome sobre cada desafio e saiba que Ele é maior que qualquer coisa que você possa enfrentar.

29 JAN

"Disse Davi ao filisteu: Tu vens contra mim com espada, com lança e com dardo; eu, porém, vou contra ti em nome do Senhor dos Exércitos, o Deus dos exércitos de Israel, a quem tens afrontado."
1Samuel 17:45

"Desafie gigantes com fé."

ANOTAÇÕES

30 JAN

CONCORDE COM DEUS

> "Concorda-te depressa com o teu adversário, enquanto estás no caminho com ele, para que não aconteça que o adversário te entregue ao juiz, e o juiz te entregue ao oficial, e sejas lançado na prisão."
>
> **Mateus 5:25**

O ensinamento de Jesus sobre concordar com nosso adversário nos lembra da importância da reconciliação e da resolução de conflitos. Muitas vezes nosso coração se torna campo de batalha com mágoas, ressentimentos e desavenças.

Concordar com Deus significa buscar a reconciliação e a paz, não só com os outros, mas também com Ele. Quando concordamos com Deus, estamos alinhando nosso coração com Seu amor, graça e perdão. Estamos dispostas a perdoar e a ser perdoadas, a amar e ser amadas.

A reconciliação nos libera das prisões do ódio e do rancor, trazendo-nos, assim, a paz que só Deus pode dar.

Não deixe que os conflitos roubem sua alegria e sua paz interior. Concorde com Deus, busque reconciliação e experimente a liberdade que vem por meio do perdão.

"Concorde com Deus e encontre paz."

ANOTAÇÕES

_____
_____
_____
_____
_____
_____
_____
_____

LIBERTE-SE E PERMANEÇA LIVRE

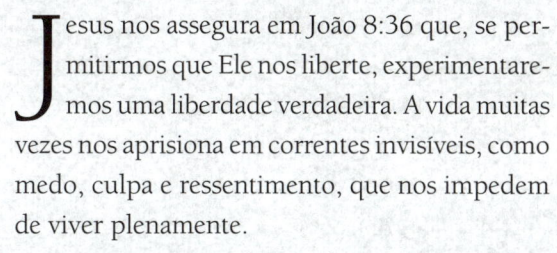

31 JAN

"Portanto, se o Filho os libertar, vocês de fato serão livres."
João 8:36

Jesus nos assegura em João 8:36 que, se permitirmos que Ele nos liberte, experimentaremos uma liberdade verdadeira. A vida muitas vezes nos aprisiona em correntes invisíveis, como medo, culpa e ressentimento, que nos impedem de viver plenamente.

Para permanecer livres, devemos reconhecer que a verdadeira liberdade começa com Cristo. Ele não apenas nos liberta do pecado, mas também das amarras emocionais que nos mantêm cativas. No entanto, é responsabilidade nossa escolher permanecer livres.

Liberdade significa viver com propósito, amar com sinceridade e perdoar sem reservas.

Significa não permitir que o passado dite o presente, mas abraçar o presente com gratidão e esperança. Não permita que nada nem ninguém a aprisione novamente.

"Escolha a liberdade, permaneça livre."

ANOTAÇÕES

FEVEREIRO

DESFRUTE UMA VIDA EQUILIBRADA

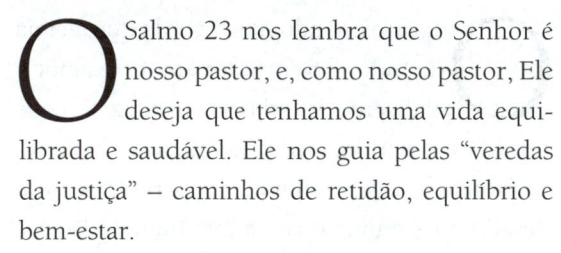

01 FEV

"Ele restaura a minha alma; guia-me pelas veredas da justiça por amor do Seu nome."
Salmos 23:3

O Salmo 23 nos lembra que o Senhor é nosso pastor, e, como nosso pastor, Ele deseja que tenhamos uma vida equilibrada e saudável. Ele nos guia pelas "veredas da justiça" – caminhos de retidão, equilíbrio e bem-estar.

Viver em equilíbrio é um presente de Deus. Significa cuidar da nossa saúde física, emocional e espiritual. É estar em sintonia com Ele, permitindo que Ele restaure nossa alma e nos guie em direção à paz, à justiça e à totalidade.

Desfrutar uma vida equilibrada nos permite enfrentar os desafios com serenidade, desfrutar as alegrias plenamente e servir aos outros com generosidade.

É testemunho da graça de Deus em ação em nossa vida.

"Equilíbrio: a chave para a plenitude."

ANOTAÇÕES

02 FEV

> "E, acima de tudo, tenham amor, pois o amor une perfeitamente todas as coisas."
>
> **Colossenses 3:14**

"O amor é o alicerce de todas as virtudes."

ANOTAÇÕES

_____
_____
_____
_____
_____
_____
_____
_____
_____

DEMONSTRE AMOR O TEMPO TODO

O apóstolo Paulo nos recorda que, acima de tudo, devemos ter amor. O amor é o alicerce de todas as virtudes. É o que nos une e nos torna verdadeiramente completos. Demonstrar amor o tempo todo pode ser um desafio, mas é uma escolha que honra a Deus e enriquece nossos relacionamentos.

O amor não é apenas um sentimento; é uma ação que se manifesta em nossas palavras e atos. Em momentos de alegria, o amor nos faz compartilhar e celebrar com os outros. Em momentos de tristeza, nos capacita a consolar e apoiar. Em momentos de conflito, nos conduz a perdoar e reconciliar. Demonstrar amor o tempo todo não significa que seremos perfeitos, mas que, mesmo em nossas imperfeições, buscamos agir com compaixão, bondade e generosidade. É um reflexo do amor incondicional de Deus por nós.

Hoje desafio você a refletir sobre como pode demonstrar amor em todas as áreas de sua vida. Lembre-se de que, em cada encontro, em cada palavra, em cada gesto, você tem a oportunidade de refletir o amor de Deus.

PREOCUPAÇÃO OU FÉ?

03 FEV

> *"Portanto eu lhes digo: não se preocupem com suas vidas, com o que comer ou beber; nem com seus corpos, com o que vestir."*
> **Mateus 6:25**

Jesus nos ensina a importância de não nos preocuparmos excessivamente com as necessidades básicas da vida. Preocupação consome nossa energia e fé, enquanto a confiança em Deus nos traz paz. Preocupação é um fardo que muitas vezes carregamos desnecessariamente.

Jesus nos encoraja a olhar para as aves do céu e os lírios do campo, que são cuidados por Deus. Ele nos lembra que somos muito mais valiosos para Ele que as criaturas da natureza. A fé nos leva a descansar nas promessas de Deus, sabendo que Ele suprirá todas as nossas necessidades. Quando confiamos Nele, nossa preocupação diminui, e experimentamos a paz que só Ele pode dar.

Hoje eu a encorajo a deixar de lado a preocupação e a abraçar a fé. Lembre-se de que Deus é o provedor fiel, e Ele cuidará de você e dos seus. Confie Nele, solte suas preocupações e experimente a liberdade que a fé traz.

> **"Preocupação consome nossa fé, confiança em Deus nos traz paz."**

ANOTAÇÕES

04 FEV

DEUS NÃO ESTÁ ZANGADO COM VOCÊ

"O Senhor não demora em cumprir a sua promessa, como julgam alguns. Ao contrário, ele é paciente com vocês, não querendo que ninguém pereça, mas que todos cheguem ao arrependimento."
2Pedro 3:9

Muitas vezes podemos sentir que Deus está zangado conosco devido aos nossos erros e falhas. No entanto, essa Palavra nos lembra da verdade: Deus é longânime, paciente e cheio de amor por nós. Ele deseja que todas alcancem o arrependimento e vivam em sua graça.

Deus não está interessado em nos punir, mas em nos restaurar. Ele nos dá oportunidades para aprender, crescer e nos aproximar Dele. Mesmo quando cometemos erros, sua misericórdia é abundante.

Hoje, permita que essa verdade penetre em seu coração. Deus não está zangado com você; Ele está esperando que você se volte para Ele. Arrependimento é o primeiro passo para a restauração e para uma vida transformada.

"Deus ama, perdoa e restaura."

ANOTAÇÕES

VOCÊ ESTÁ OCUPADA DEMAIS

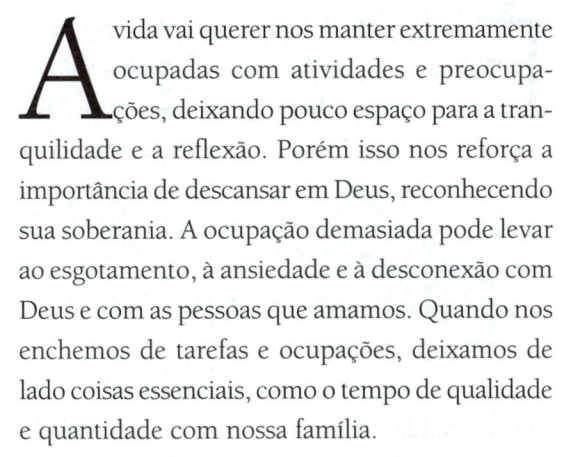

05 FEV

"Parem de lutar! Saibam que eu sou Deus!"
Salmos 46:10

A vida vai querer nos manter extremamente ocupadas com atividades e preocupações, deixando pouco espaço para a tranquilidade e a reflexão. Porém isso nos reforça a importância de descansar em Deus, reconhecendo sua soberania. A ocupação demasiada pode levar ao esgotamento, à ansiedade e à desconexão com Deus e com as pessoas que amamos. Quando nos enchemos de tarefas e ocupações, deixamos de lado coisas essenciais, como o tempo de qualidade e quantidade com nossa família.

Pare um minuto para refletir sobre o seu tempo: quanto dele você tem dedicado a todas as áreas da sua vida? Será que não é hora de ajustar isso e parar de estar ocupada demais? Deus não tem prazer em nos ver lutando o tempo inteiro em meio a nossa rotina frenética.

Hoje, reserve um momento para descansar em Deus. Deixe que a paz e a presença Dele preencham sua alma.

"Descanse em Deus e encontre renovação."

ANOTAÇÕES

06 FEV

O TEMPO TODO

"Bendirei o Senhor o tempo todo! Os meus lábios sempre o louvarão."

Salmos 34:1

É importante louvar ao Senhor o tempo todo, não apenas em momentos de alegria, mas também nos momentos de desafios. A adoração a Deus é um ato que transcende circunstâncias e emoções. Quando louvamos a Deus o tempo todo, estamos declarando nossa confiança Nele, independentemente do que esteja acontecendo à nossa volta. É um ato de fé que nos conecta com a presença e o poder de Deus.

Em momentos de alegria, nosso louvor expressa gratidão. Em momentos de dificuldade, nosso louvor é um testemunho de esperança e confiança. Louvar a Deus o tempo todo nos mantém centrados em Sua soberania e em seu amor inabalável.

Você pode tomar essa decisão hoje, pode decidir adorar a Deus todos os dias, pode fazer da adoração um estilo de vida. Vamos?

"Louvar a Deus o tempo todo nos mantém centrados em Sua soberania."

ANOTAÇÕES

CHEGOU UMA NOVA FASE

07 FEV

"Vejam, estou fazendo uma coisa nova! Ela já está surgindo! Vocês não a reconhecem? Até no deserto vou abrir um caminho e riachos no ermo."
Isaías 43:19

Deus está sempre fazendo coisas novas em nossa vida. Às vezes as mudanças podem ser assustadoras, mas elas também trazem oportunidades para crescimento e bênçãos. Quando enfrentamos uma nova fase da vida, podemos nos sentir inseguras, ansiosas ou até mesmo resistir à mudança. No entanto, é importante lembrar que Deus está à frente, preparando um caminho, mesmo em meio ao deserto, e trazendo rios para saciar nossa sede.

Uma nova fase pode ser uma grande oportunidade para aprendermos a depositar nossa confiança no Senhor. É um convite para avançar com fé, sabendo que o mesmo Deus que nos trouxe até aqui nos levará adiante.

Hoje, acolha a nova fase que se apresenta em sua vida com esperança e confiança. Deus está com você, e Ele tem planos maravilhosos para o seu futuro.

"Abra-se para o novo; confie em Deus."

ANOTAÇÕES

08 FEV

PERMITA QUE OS MILAGRES COMECEM

"Então Jesus lhe disse: 'Porque me viu, você creu? Felizes os que não viram e creram'."
João 20:29

Jesus disse a Tomé que a verdadeira bênção está em acreditar sem ver. Quantas vezes estamos esperando ver um milagre acontecer antes de acreditar, mas a fé nos convida a dar o primeiro passo, a crer antes de ver. Deus está sempre pronto para fazer milagres em nossa vida, mas muitas vezes nossa falta de fé nos impede de experimentar o extraordinário. Quando acreditamos, quando confiamos, abrimos as portas para o sobrenatural.

Hoje eu percebo muitos frutos em minha vida que nasceram da fé. Quando olho para meu passado, não encontro meios de ter avançado tanto senão pela coragem de acreditar sem ver. Às vezes precisamos dar o passo para Deus dar o chão.

Quero te desafiar a permitir que os milagres comecem em sua vida. Acredite no poder de Deus, mesmo quando as circunstâncias parecerem impossíveis. Sua fé é a chave que destrava o extraordinário.

"Às vezes precisamos dar o passo para Deus dar o chão."

ANOTAÇÕES

VIDA COM VITÓRIA

09 FEV

"Mas graças a Deus, que nos dá a vitória por meio de nosso Senhor Jesus Cristo."
1Coríntios 15:57

A vitória é algo que todas nós desejamos em nossa vida. No entanto, a verdadeira vitória não é apenas sobre conquistas materiais, mas sobre as batalhas espirituais que enfrentamos diariamente. Não podemos esquecer que nossa vitória não é resultado de nossos esforços, mas é um presente gracioso de Deus por meio de Jesus Cristo. Ele venceu o pecado e a morte, e em Sua vitória encontramos a nossa.

Uma vida de vitória não significa ausência de desafios, mas a certeza de que, com Cristo, somos mais que vencedoras. Podemos enfrentar as dificuldades com coragem e fé, sabendo que Ele está conosco em cada batalha.

Neste dia, confie na vitória que Deus já conquistou por você. Deixe que essa certeza encha seu coração de gratidão e esperança. A vitória em Cristo é a âncora da nossa fé, que nos capacita a enfrentar qualquer adversidade.

"Em Cristo, somos mais que vencedores."

ANOTAÇÕES

10 FEV

A VOZ QUE OUVIMOS

"As minhas ovelhas ouvem a minha voz; eu as conheço, e elas me seguem."
João 10:27

"Ouvir a voz de Jesus é estar no caminho da vida plena e abundante."

ANOTAÇÕES

Vivemos em um mundo barulhento, cheio de vozes que clamam por nossa atenção, mas é a voz do coração que nos conecta com o Pai Celestial. O que seu coração está dizendo a você hoje? É a voz da necessidade, da solidão, da alegria ou do desejo de uma profunda comunhão com Deus? No meio do ruído e das vozes que competem por nossa atenção, é vital lembrar a importância de discernir a voz que ouvimos.

A voz de Jesus é uma voz de amor, verdade e sabedoria. Ela nos guia, nos conforta e nos capacita a viver de acordo com a vontade de Deus. No entanto, existem muitas vozes que tentam nos desviar desse caminho. Preste atenção em quais vozes têm direcionado sua vida. São vozes que trazem paz e esperança ou são vozes que geram medo e incertezas?

Quando seguimos a voz de Jesus, estamos no caminho da vida plena e abundante que Ele prometeu. Deixe que essa voz seja a bússola que guia sua jornada.

LEVADA À TENTAÇÃO

11 FEV

A tentação é uma realidade que todas enfrentamos, mas a Palavra de Deus nos assegura que Ele é fiel em nossas lutas. Deus não permite que sejamos tentadas além do que podemos suportar. Ele sempre nos fornece um caminho de escape.

Quando somos levadas à tentação, é fácil nos sentirmos sobrecarregadas. No entanto, devemos lembrar que Deus está conosco em cada batalha. Ele não apenas nos dá forças para resistir à tentação, mas também nos guia para longe dela.

Quando nos sentirmos tentadas, lembremo-nos de que Deus está conosco, pronto para nos fortalecer e nos ajudar a vencer. Ele é nosso refúgio seguro e nossa fonte de força.

"Deus é fiel e não permitirá que sejais tentados além das vossas forças; pelo contrário, juntamente com a tentação, vos proverá livramento, de sorte que a possais suportar."
1Coríntios 10:13

"Resista, Deus está contigo."

ANOTAÇÕES

12 FEV

MANSA, MAS NÃO FRACA

"Bem-aventurados os mansos, porque eles herdarão a terra."
Mateus 5:5

"Mansidão: força em humildade."

ANOTAÇÕES

Jesus nos ensina sobre a bem-aventurança dos mansos, aqueles que são gentis, pacientes e humildes de coração. Ser manso não significa ser fraco, mas, sim, ter um coração submisso.

Mansidão é um equilíbrio entre a força e a suavidade. É a disposição de perdoar, de se conter em momentos de conflito e de tratar os outros com bondade. Ser manso não é sinal de fraqueza, mas, sim, a manifestação do caráter de Cristo em nós.

Quando somos mansas, abrimos espaço para que Deus aja em nossa vida. Ele promete que os mansos herdarão a terra. Isso significa que, ao confiarmos em Deus e agirmos com mansidão, Ele nos abençoará e nos guiará em nossa jornada.

Permita que a mansidão guie suas interações com os outros. Seja firme em sua fé, mas suave em seu espírito. Lembre-se de que a verdadeira força está em confiar em Deus e deixar que Ele dirija o seu caminho.

FONTE DE CONTENTAMENTO

13 FEV

"A minha alma acha contentamento na presença de Deus, minha fonte de alegria."
Salmos 16:11

A verdadeira fonte de contentamento está na presença de Deus. Muitas vezes buscamos alegria e satisfação em coisas materiais, sucesso ou relacionamentos, mas a alegria duradoura só é encontrada em Deus.

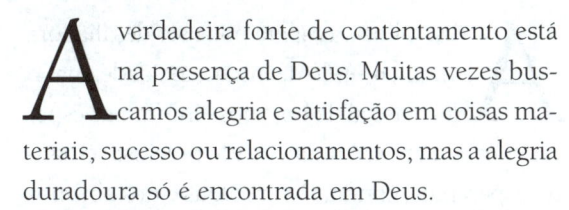

Quando nossa alma encontra contentamento na presença de Deus, experimentamos uma paz que transcende as circunstâncias. A alegria divina preenche nosso coração, independentemente das situações externas.

Hoje quero desafiar você a buscar esse contentamento em Deus e a se deleitar em sua presença. Lembre-se de que Ele é fonte inesgotável de alegria. Quando o buscamos em primeiro lugar, todas as outras coisas em nossa vida se encaixam.

"A alegria em Deus nos proporciona uma vida abundante."

ANOTAÇÕES

14 FEV

A DISCIPLINA DA ESPERA

"Mas se esperamos o que ainda não vemos, aguardamo-lo pacientemente."
Romanos 8:25

A disciplina da espera pode ser desafiadora em um mundo de instantaneidade, mas o devocional de hoje nos lembra que esperar com paciência é uma virtude preciosa. Quando esperamos, confiamos em Deus e nos abrimos para Sua vontade. A espera não é inatividade, mas um período de crescimento espiritual, que se dá quando aprendemos a confiar em Deus, a ouvir Sua voz e a nos preparar para o que está por vir. É aí que a transformação acontece.

Muitas vezes, nossos sonhos e desejos nos impulsionam a querer tudo imediatamente, mas Deus tem um plano perfeito. A disciplina da espera nos ensina a ser gratas pelo que temos, a apreciar o presente e a confiar que o futuro está seguro em nossas mãos.

Hoje quero encorajá-la a abraçar a disciplina da espera em sua vida. Espere com paciência e fé. Lembre-se de que, mesmo quando não vemos o que está acontecendo nos bastidores, Deus está trabalhando para o nosso bem. Ele tem um propósito para cada estação da nossa vida.

"Na espera, confie no Deus que conhece o tempo."

ANOTAÇÕES
_____
_____
_____
_____
_____
_____
_____

UM RELACIONAMENTO DE ALIANÇA

15 FEV

"Eis que dias estão chegando, diz o Senhor, em que firmarei nova aliança com a casa de Israel e com a casa de Judá."
Jeremias 31:31

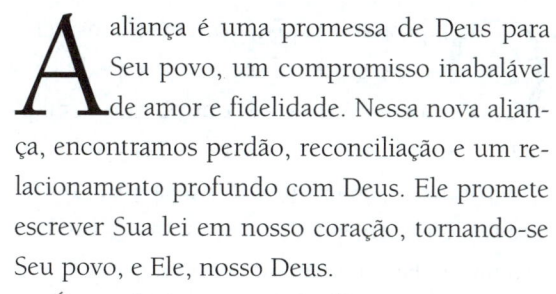

A aliança é uma promessa de Deus para Seu povo, um compromisso inabalável de amor e fidelidade. Nessa nova aliança, encontramos perdão, reconciliação e um relacionamento profundo com Deus. Ele promete escrever Sua lei em nosso coração, tornando-se Seu povo, e Ele, nosso Deus.

É um relacionamento de aliança que nunca se quebrará. Essa aliança também nos chama a ser fiéis a Deus, a amá-lo e a obedecer a Ele. É um compromisso de amor recíproco, em que encontramos nosso propósito e significado em servir a Deus e aos outros.

Reflita sobre o privilégio de fazer parte dessa aliança divina. Saiba que, independentemente das circunstâncias, Deus é fiel. Ele estará sempre ao seu lado, cumprindo Sua promessa de ser o seu Deus.

"Deus é fiel à Sua aliança."

ANOTAÇÕES

16 FEV

A FERRAMENTA NÃO DECIDE SEU USO

> "Todas as coisas me são lícitas, mas nem todas me convêm; todas as coisas me são lícitas, mas nem todas as coisas edificam."
> **1Coríntios 10:23**

O apóstolo Paulo nos orienta a considerar se o uso de nossa liberdade edifica a nós mesmos e aos outros, pois, embora tenhamos liberdade em Cristo, nem tudo que é permitido é benéfico. Em nossa vida, temos muitas ferramentas à disposição, mas o uso que fazemos delas é o que realmente importa.

Uma ferramenta pode ser usada para construir, para abençoar ou para ferir. Portanto, é nossa responsabilidade escolher sabiamente como utilizamos as ferramentas que Deus nos deu. Que possamos sempre buscar a orientação do Espírito Santo e a sabedoria de Deus ao decidir como usamos nossos dons, talentos e recursos.

Que nossa escolha seja a de edificar, abençoar e glorificar a Deus em todas as coisas.

"Use suas ferramentas com sabedoria."

ANOTAÇÕES

Catia Regiely

CORRER A CORRIDA PARA VENCER

17 FEV

> "Não sabeis que, dentre todos os que correm no estádio, somente um recebe o prêmio? Corram de tal maneira que o alcanceis."
> **1 Coríntios 9:24**

A vida é frequentemente comparada a uma corrida, e a Palavra de Deus nos exorta a correr de tal maneira que alcancemos a vitória. Essa Palavra também nos lembra que, embora muitos possam correr, apenas um recebe o prêmio. Portanto, correr a corrida da vida com determinação é essencial.

Correr para vencer requer perseverança, foco e disciplina. Assim como um atleta se prepara intensamente para alcançar o pódio, devemos nos esforçar em nossa jornada espiritual para buscar a Deus com paixão. Às vezes a corrida da vida pode ser desafiadora, repleta de obstáculos e desafios. No entanto, a promessa de Deus é que, com sua ajuda, podemos superar qualquer obstáculo e alcançar a vitória.

Hoje encorajo você a correr a corrida da vida com fé e determinação. Não desista diante das adversidades. Lembre-se de que a vitória é possível quando buscamos a Deus com todo o nosso coração.

> "Tenha fé, mantenha o foco e siga em frente."

ANOTAÇÕES

18 FEV

> *"É melhor ter companhia do que estar sozinho, porque maior é a recompensa do trabalho de duas pessoas."*
> **Eclesiastes 4:9**

"Ame e construa relações duradouras."

ANOTAÇÕES

CONSTRUINDO RELAÇÕES SÓLIDAS

É importante construir relacionamentos sólidos. Deus nos criou para a comunhão, e é nas relações uns com os outros que encontramos apoio, encorajamento e força.

Construir relações sólidas não significa que elas serão perfeitas. Haverá desafios e desentendimentos, mas é a maneira como os enfrentamos que molda a qualidade dessas relações. A base de relações sólidas está na empatia, no perdão e na comunicação sincera. É no compartilhamento de alegrias e tristezas, no apoio mútuo nos momentos difíceis e na celebração das vitórias.

Hoje eu te convido a refletir sobre suas relações. Como você pode fortalecer os laços que tem? O que pode fazer para nutrir e construir relações sólidas? Lembre-se de que o amor e a dedicação são alicerces para relacionamentos duradouros e significativos.

MATURIDADE

19 FEV

A maturidade espiritual é um processo de crescimento. Assim como uma criança cresce e deixa para trás os comportamentos infantis, nós também devemos amadurecer em nossa caminhada com Deus. A maturidade espiritual envolve aprender a pensar, falar e agir de maneira que reflita o caráter de Cristo. É deixar para trás as coisas que nos impedem de seguir adiante, como o egoísmo, a inveja e a amargura. É decidir abraçar o amor, a fé e a esperança que vêm de Deus.

A maturidade espiritual nos capacita a enfrentar desafios com graça, a ter o perdão com estilo de vida e a servir com humildade. Ela nos ajuda a enxergar além das circunstâncias e a confiar no plano de Deus. Como está sua jornada de maturidade espiritual? Onde você está crescendo? Onde precisa crescer ainda mais?

Nunca se esqueça de que Deus é quem nos fortalece nesse processo, e com Ele podemos amadurecer em todas as áreas de nossa vida.

"Quando eu era criança, falava como criança, pensava como criança e raciocinava como criança. Quando me tornei homem, deixei para trás as coisas de criança."
1Coríntios 13:11

"Cresça em Cristo, alcance a maturidade."

ANOTAÇÕES

20 FEV

"Fazei, pois, morrer a vossa natureza terrena: prostituição, impureza, paixão, desejos maus e ganância, que é idolatria."

Colossenses 3:5

"Ação supera desculpas."

ANOTAÇÕES

PARE DE DAR DESCULPAS

É fácil cair na armadilha das desculpas, justificando nossos erros e comportamentos prejudiciais. Porém, a Palavra de Deus nos ensina a abandonar nossa natureza terrena e a desistir das desculpas. Dar desculpas nos impede de crescer e de buscar uma vida de santidade. É um obstáculo para a transformação que Deus deseja operar em nossa vida.

Quando reconhecemos nossos erros e fraquezas, abrimos espaço para a graça e para Deus atuar. Decida dar um basta hoje nas desculpas e comece a agir. Assuma a responsabilidade por suas ações, busque o perdão de Deus e permita que Ele a capacite a viver uma vida que O glorifique.

A mudança começa quando nos rendemos ao Seu poder transformador.

AVANCE DIANTE DOS DESAFIOS

21 FEV

"Não tenhas medo, nem te espantes, porque o Senhor, teu Deus, está contigo por onde quer que andares."
Josué 1:9

É natural, em meio a nossa caminhada, enfrentarmos inúmeros desafios que, por vezes, podem nos fazer hesitar. Porém, a Palavra de Deus nos assegura que Ele está conosco em todos os momentos, nos apoiando e incentivando a avançar.

Assim como Josué foi encorajado a conquistar a Terra Prometida, também somos chamadas a avançar diante dos desafios que surgem em nosso caminho. É natural sentir medo, dúvida e incerteza quando enfrentamos obstáculos. Mas lembre-se, a fé é a âncora que nos mantém firmes. Quando confiamos no Senhor e acreditamos em Seu poder, encontramos coragem para avançar.

Lembre-se, avançar diante dos desafios requer uma combinação de fé e ação. Não se trata de negar a realidade das dificuldades, mas de enfrentá-las com a certeza de que Deus é maior que qualquer adversidade. Ele nos capacita a superar, a crescer e a alcançar novas alturas.

"Avance com Deus."

ANOTAÇÕES

22 FEV

PREPARANDO O CORAÇÃO PARA A JORNADA

"Mas aqueles que esperam no Senhor renovam as suas forças. Voam alto como águias; correm e não ficam exaustos, andam e não se cansam."
Isaías 40:31

"Na espera, encontramos força."

ANOTAÇÕES

Nossa vida é repleta de altos e baixos, desafios e triunfos. Mas o tempo de preparação é crucial. Antes de alçarmos voos altos como águias, precisamos esperar no Senhor. Às vezes desejamos chegar ao nosso destino imediatamente, mas Deus tem um propósito para cada estação de nossa vida. Ele está nos preparando para algo grandioso, nos fortalecendo, moldando-nos e ensinando-nos lições valiosas.

É durante esse tempo de preparação que nossa fé é refinada e nosso caráter é lapidado. Não tenha pressa, não pule etapas, pois é no tempo de preparação que você adquire a sabedoria e a resiliência necessárias para voar mais alto.

Confie no plano de Deus e saiba que, no devido tempo, Ele a elevará acima de todas as adversidades e de todos os males..

A ATITUDE QUE TRANSFORMA

23 FEV

"Sem fé é impossível agradar a Deus, pois quem dele se aproxima precisa crer que Ele existe e que recompensa aqueles que O buscam."

Hebreus 11:6

Quantas vezes você já se deparou com desafios que geraram dúvidas em seu coração? O medo e a insegurança tentaram te paralisar. Não podemos esquecer que fé não é apenas uma crença abstrata; é uma atitude que transforma vidas. No livro de Hebreus, somos lembradas de que, para agradar a Deus e receber Suas bênçãos, precisamos crer que Ele existe e que recompensa aqueles que O buscam.

Nossa atitude de fé começa com o reconhecimento de Deus como o fundamento de nossa vida. Devemos confiar que Ele está conosco em todos os momentos, mesmo quando não O vemos com nossos olhos naturais. Ao enfrentar seus obstáculos, não permita que a dúvida a afaste de Deus. Em vez disso, escolha confiar e persistir. Lembre-se de que Deus é fiel e cumprirá Suas promessas.

Mesmo quando a estrada é difícil, sua atitude de fé abrirá portas e moverá montanhas.

"Sua atitude de fé abrirá portas e moverá montanhas."

ANOTAÇÕES

24 FEV

> *"Pois todos pecaram e estão destituídos da glória de Deus."*
> **Romanos 3:23**

A REDENÇÃO QUE TRANSFORMA

Nosso coração, por vezes, pensa sob o fardo da consciência do pecado. No entanto, não estamos sozinhas nessa jornada. A Bíblia nos assegura que todos pecaram e estão destituídos da glória de Deus. A consciência do pecado pode ser avassaladora, mas também o primeiro passo em direção à redenção e à transformação.

Não se deixe abater pela culpa; veja a consciência do pecado como um chamado para a mudança. Quando reconhecemos nossas falhas e nos arrependemos sinceramente, abrimos espaço para a graça divina operar em nossa vida. Lembre-se de que a consciência do pecado não é o fim da história, mas o início de uma jornada de cura.

Deus nos ama incondicionalmente e convida a nos achegarmos a Ele com um coração quebrantado e arrependido. Ele nos transforma, capacitando-nos a viver uma vida abundante.

> *"Na consciência do pecado, encontramos a estrada para a redenção."*

ANOTAÇÕES

Catia Regiely

CAMINHANDO EM SUA PRESENÇA

25 FEV

"Ele me faz deitar em pastos verdejantes; leva-me para junto das águas de descanso."
Salmos 23:2

Muitas vezes a agitação da vida nos afasta do que é mais precioso: a intimidade com Deus. Em nosso mundo movimentado, corremos de um compromisso para outro, esquecendo que Deus deseja estar próximo de nós. Assim como um pastor conduz suas ovelhas a pastos verdejantes e águas tranquilas, nosso Pai deseja nos levar a um lugar de descanso e intimidade com Ele.

Quando nos permitimos desacelerar, podemos experimentar a verdadeira intimidade com Deus. É nos momentos de quietude que Ele fala ao nosso coração, renovando nossa força e esperança. Ele nos convida a repousar em Seu amor, a refletir sobre Sua fidelidade e a buscar Sua sabedoria.

Quando nos aproximamos de Deus com o coração aberto, encontramos descanso para nossa alma e uma intimidade que transcende qualquer experiência. É nessa intimidade que encontramos paz, propósito e alegria.

"Descanso em Deus: a chave para a verdadeira vida."

ANOTAÇÕES

26 FEV

> *"Jesus disse a todos: 'Se alguém quiser acompanhar-me, negue-se a si mesmo, tome a sua cruz cada dia e siga-me."*
> **Lucas 9:23**

"Renúncia gera autoridade."

ANOTAÇÕES

DESPERTANDO A AUTORIDADE NA RENÚNCIA

Autoridade e renúncia, conceitos aparentemente contraditórios, entrelaçam-se na jornada da fé. Quando Jesus nos chama para segui-Lo, Ele nos convida a uma vida de renúncia, mas também nos reveste de autoridade divina. A renúncia não é a perda de poder, mas a escolha de abdicar dos nossos desejos egoístas para abraçar os planos de Deus.

É por meio da renúncia que liberamos espaço para que a autoridade espiritual se manifeste em nossa vida. A verdadeira autoridade nasce da humildade e da obediência. Quando renunciamos ao orgulho, ao egoísmo e ao pecado, permitimos que o Espírito Santo nos revista com autoridade.

Ao abraçar a renúncia, recebemos a autoridade para superar desafios, influenciar vidas e manifestar o Reino de Deus na terra.

Catia Regiely

TRANSFORMANDO A MENTE

"Não se amoldem ao padrão deste mundo, mas transformem-se pela renovação de sua mente (...)"
Romanos 12:2

Mudar nossa mentalidade é uma jornada espiritual incrível. Quando permitimos que a Palavra de Deus guie nossos pensamentos, somos capazes de nos afastar dos padrões mundanos e nos alinhar com a vontade divina. A transformação começa quando escolhemos enxergar a vida com os olhos da fé, da esperança e do amor, em vez de sermos consumidas pelo medo e pela negatividade.

A mente renovada nos capacita a viver uma vida que glorifica a Deus. A mudança de mentalidade não é algo que acontece do dia para a noite, mas um processo contínuo. Quando nossa mentalidade se transforma, enxergamos desafios como oportunidades de crescimento. A adversidade se torna um terreno fértil para o desenvolvimento espiritual. O medo cede lugar à coragem, a dúvida se transforma em fé, e a preocupação dá lugar à paz.

Não somos mais escravas dos padrões do mundo, mas somos livres para seguir a vontade de Deus.

"Viver uma vida plena é deixar de pensar de acordo com o mundo e começar a pensar de acordo com Deus."

ANOTAÇÕES
_____
_____
_____
_____
_____
_____
_____
_____
_____

28 FEV

A JORNADA DO PERDÃO

"Suportem-se uns aos outros e perdoem as queixas que tiverem uns contra os outros. Perdoem como o Senhor lhes perdoou."
Colossenses 3:13

"Liberte-se pelo perdão."

ANOTAÇÕES

Aprender perdoar não é apenas uma lição valiosa, mas um mandamento divino. Quando carregamos o fardo da armadura e ressentimento, somos incapazes de experimentar a plenitude da alegria que Deus deseja para nós. O perdão não é um ato de fraqueza, mas, sim, de coragem. É reconhecer que todas nós cometemos erros e precisamos da graça de Deus. Deus derramou o seu perdão sobre nós, Ele nos perdoou inúmeras vezes, sem olhar para as nossas falhas passadas. Portanto, somos chamadas a fazer o mesmo pelos outros.

Não é fácil, mas é uma demonstração de amor e obediência a Deus. O perdão nos liberta do peso do ressentimento, permitindo-nos avançar com leveza no coração. Ele restaura relacionamentos quebrados e traz cura. O caminho do perdão pode ser árduo, mas é recompensador.

Quando escolhemos perdoar, não apenas abençoamos o outro, mas também abrimos a porta para a bênção de Deus em nossa vida.

Catia Regiely

MARÇO

01 MAR

VIVENDO COM PROPÓSITO

"Pois sou eu que conheço os planos que tenho para vocês, diz o Senhor, planos de fazê-los prosperar e não causar dano, planos de dar esperança e um futuro."
Jeremias 29:11

Deus tem um propósito específico para cada uma de nós. Ele nos criou com amor e cuidado, e nossa vida tem um significado profundo. Às vezes podemos nos sentir perdidas ou sem rumo, mas a verdade é que Deus tem um plano extraordinário reservado para nós. Viver com propósito não significa necessariamente realizar grandes feitos. Mas pode ser encontrado na maneira como tratamos os outros, como amamos e servimos. Cada ação, por menor que seja, pode ser uma expressão do plano divino para nossa vida.

Quando nos entregamos a Deus e buscamos Sua vontade, descobrimos um propósito maior, uma alegria mais profunda e uma paz duradoura. Portanto, não importa que incertezas ou desafios você enfrente, confie que Deus está no controle. Ele está trabalhando em você e por meio de você para cumprir Seus planos.

Viver com propósito é abraçar a jornada com fé, sabendo que cada passo é uma parte essencial do caminho que Deus traçou para você.

"Deus tem um plano especial para cada uma de nós."

ANOTAÇÕES

Catia Regiely

CONSTRUINDO O LAR DE AMOR

02 MAR

"Tudo o que fizerem, façam com amor."
1Coríntios 16:14

A construção de um ambiente de amor é mais que um desejo; é um chamado divino. Como artesãos da convivência familiar, somos desafiados a edificar com os tijolos do amor, da paciência e da compreensão. Quando erguemos as paredes da confiança, o telhado da gratidão e o alicerce da fé, criamos um espaço onde as bênçãos de Deus fluem abundantemente. O amor é a cola que mantém tudo junto.

Quando nos esforçamos para amar incondicionalmente, oferecendo perdão quando necessário, ensinamos às gerações futuras o verdadeiro significado do amor. Um ambiente construído com amor não apenas suporta as tempestades da vida, mas também ilumina o caminho de todos que o habitam. Cada palavra gentil que proferimos, cada gesto de compaixão e cada ato de serviço refletem o amor de Deus em nossa vida.

Quando priorizamos o amor, nossa família se torna um farol de esperança, um testemunho vivo do amor de Cristo.

"Amar é construir. Construir é abençoar."

ANOTAÇÕES

03 MAR

GUARDIÃS DA HONESTIDADE

"Quem anda com fofoca revela segredos, mas quem é confiável guarda o que lhe foi confiado."

Provérbios 11:13

"Nossas palavras devem construir pontes, não muros."

ANOTAÇÕES

A fofoca é uma armadilha sutil que pode comprometer nossos relacionamentos e a integridade de nosso testemunho. Em Provérbios 11:13, somos alertadas sobre o perigo de revelar segredos, de disseminar informações confidenciais. Ser "Guardiãs da Honestidade" é mais do que apenas evitar fofocas; é ser confiável, capaz de salvar com zelo o que nos foi confiado.

Ao nos envolvermos em fofocas, corremos o risco de criar divisões e ferir corações. Mas, como mulheres que buscam a santidade, somos chamadas a ser diferentes. Nossa língua tem o poder de edificar ou de destruir. Optamos por edificar, escolhendo palavras que promovam a paz, a compaixão e o respeito.

Quando nos depararmos com a tentativa de participar de fofocas, lembremo-nos do exemplo de Cristo, que falava com graça e verdade. Ele nos capacita a ser guardiãs da honestidade, a proteger os segredos confiados a nós e a cultivar relacionamentos baseados na confiança mútua.

Hoje, comprometa-se a silenciar o sussurro da fofoca. Escolha ser uma mulher que edifica, encoraja e ama.

Catia Regiely

DESPERTANDO A FORÇA INTERIOR

04 MAR

"O Senhor é a minha força e o meu escudo; nele o meu coração confia, e dele recebo ajuda."

Salmos 28:7

Quando a jornada se torna árdua e os ventos da adversidade sopram com força, é fácil nos sentirmos enfraquecidas. No entanto, a verdade é que todas nós possuímos uma força interior que Deus plantou em nosso coração. Essa força é a centelha divina que nos capacita a superar desafios, a perseverar nas tempestades e a crescer em meio à escuridão.

Nos momentos de fraqueza, é fundamental lembrar que o Senhor é nossa fonte de força. Ele é o escudo que nos protege, a luz que brilha em nossa alma. Quando confiamos Nele, nossa força interior é fortalecida, e podemos enfrentar qualquer circunstância com coragem e determinação.

Não subestime a força que habita dentro de você. Lembre-se de buscar a presença de Deus diariamente, cultivando a comunhão com Ele por meio da oração e da leitura da Palavra. Assim, você se tornará cada vez mais consciente da força interior que Ele lhe deu.

"Não subestime a força interior que Deus lhe deu."

ANOTAÇÕES

05 MAR

CAMINHANDO COM FÉ

"Ora, a fé é a certeza daquilo que esperamos e a prova das coisas que não vemos."
Hebreus 11:1

"Ele nos guiará, sustentará e cumprirá suas promessas."

ANOTAÇÕES

Caminhar com fé é dar passos firmes mesmo quando a estrada parece incerta. É confiar no invisível, acreditar na promessa que nos guia. A fé não elimina desafios, mas nos capacita a superá-los.

Quando nossos olhos não veem soluções, nossa fé nos leva a confiar que Deus está no controle. A fé é a bússola que nos orienta, a âncora que nos sustenta nas tempestades. Com fé, não caminhamos sozinhas, pois o próprio Deus é nossa companhia constante. Ele nos fortalece quando nossas forças fraquejam e nos dá esperança quando o desânimo tenta nos dominar. A fé nos conecta ao divino e nos lembra que somos mais que vencedores em Cristo.

Quando dúvidas surgirem, lembre-se de Hebreus 11:1, que nos assegura que a fé é a certeza do que esperamos e a prova do que não vemos.

PARE DE RECLAMAR

06 MAR

"A morte e a vida estão no poder da língua; o que bem a utiliza come do seu fruto."
Provérbios 18:21

Reclamar significa clamar duas vezes. A reclamação pode ter um impacto poderoso em nossa vida. Quando reclamamos, estamos, na verdade, atraindo mais negatividade. Cada palavra que sai da nossa boca tem o poder de gerar vida ou morte. Reclamar constantemente pode criar um ciclo de negatividade e atrair mais problemas que soluções.

Eu desafio você a fazer um jejum de murmuração, passando o dia inteiro sem reclamar de nada. Isso pode parecer difícil, mas é um exercício valioso. Ao se abster de reclamar, você estará treinando sua mente para encontrar soluções em vez de focar nos problemas.

"Em vez de reclamar, transforme suas palavras em sementes de bênçãos que frutificarão em sua vida."

ANOTAÇÕES

07 MAR

VOCÊ TEM CINCO MINUTOS?

"Em tudo dai graças, porque esta é a vontade de Deus em Cristo Jesus para convosco."

1 Tessalonicenses 5:18

No meio da agitação diária, encontrar breves momentos para pausas de gratidão pode transformar sua perspectiva. Reserve apenas cinco minutos para agradecer o dia até o momento, inclusive as experiências desafiadoras que oferecem lições valiosas.

Transforme as dificuldades em motivos de gratidão, sabendo que cada desafio é uma oportunidade de crescimento.

Desafio você a fazer essas pausas diárias de gratidão. Transforme as adversidades em lições valiosas e os momentos comuns em bênçãos extraordinárias. A gratidão é uma ferramenta poderosa para enriquecer sua vida e sua perspectiva.

"A gratidão transforma as adversidades em lições valiosas."

ANOTAÇÕES

_____
_____
_____
_____
_____
_____
_____
_____

COLOQUE O PÉ, E DEUS COLOCARÁ O CHÃO

08 MAR

"Jesus olhou para eles e respondeu: 'Para o homem é impossível, mas para Deus todas as coisas são possíveis'."
Mateus 19:26

Hoje, encare as decisões que precisa tomar e as rotas que deve mudar com fé. Assim como Deus abriu o Mar Vermelho para Moisés quando ele estendeu seu cajado, você também pode ser parte de seu próprio milagre.

Coloque o pé na água da fé, confiando que Deus colocará o chão sob seus pés. O milagre acontece quando tomamos ações ousadas e confiamos que o que é de Deus não gera dúvida. Que hoje você coloque o pé na água da fé. Dê o primeiro passo em direção às mudanças necessárias e tome as decisões que precisa. Confie que, assim como fez para Moisés, Deus abrirá caminhos e realizará milagres em sua vida.

Aja com fé, e Ele cuidará do restante. Viva a ousadia da fé!

"A fé é o primeiro passo que ativa os milagres de Deus."

ANOTAÇÕES

09 MAR

MOTIVOS PARA ORAR

"Invoque-me, e eu lhe responderei; mostrarei coisas grandiosas e insondáveis que você não conhece."
Jeremias 33:3

Quando nos ajoelhamos em oração, mergulhamos na presença de Deus e nos conectamos com o divino. Mas por que orar? O ato de orar vai além de uma mera tradição religiosa; é uma ponte para os tesouros insondáveis que Deus reserva para nós. A oração nos convida a compartilhar nossos desejos, medos e gratidão, abrindo um diálogo sincero com o Pai Celestial.

Nossas petições, longe de serem fúteis, têm o poder de mudar o curso de nossa vida. Orar nos capacita a enfrentar desafios com força renovada, a encontrar soluções que sejam inalcançáveis e a experimentar a paz que excede todo o entendimento. Além disso, quando oramos pelos outros, nosso amor se manifesta em ação, curando corações e transformando vidas.

"Nossa oração pode impactar vidas e circunstâncias."

ANOTAÇÕES
_____
_____
_____
_____
_____
_____
_____
_____

Catia Regiely

VAMOS ADORAR?

10 MAR

"Adore o Senhor com reverência e alegria; exulte, mas com tremor."
Salmos 2:11

Você tem dedicado um momento do seu dia para fortalecer o seu relacionamento com Deus? Quanto mais O adoramos, mais profunda se torna nossa intimidade, e mais experiências sobrenaturais se manifestam em nossa vida!

A adoração diária significa estar na presença de Deus, compartilhar seus pensamentos, agradecer Suas bênçãos e ouvir Sua voz por meio da oração e da leitura da Palavra. É um momento de entrega e intimidade.

Quando adoramos diariamente, abrimos nosso coração para a direção de Deus em nossa vida. Ele nos guia, conforta e fortalece. A adoração diária é a chave para desbloquear um relacionamento profundo e experiências sobrenaturais com Deus.

"A adoração não é apenas um ato, é um estilo de vida."

ANOTAÇÕES

11 MAR

> "Em verdade vos digo que, se não vos converterdes e não vos tornardes como crianças, de modo algum entrareis no Reino dos Céus."
>
> **Mateus 18:3**

"Cresça na fé, mas mantenha o coração de criança."

ANOTAÇÕES

SEJA SIMPLES COMO UMA CRIANÇA

Jesus ensinou que o Reino de Deus pertence às crianças, e aqueles que não se tornarem como elas não poderão acessá-lo. Observe a pureza, a inocência e a sinceridade de uma criança.

Para acessar o Reino de Deus, que já reside em seu coração por meio do Espírito Santo, você deve aprender a ver o mundo com a simplicidade de uma criança. Então, como podemos nos tornar como crianças em nossa jornada espiritual? Primeiramente, precisamos abandonar o orgulho e a autossuficiência, confirmando nossa dependência de Deus. Devemos aprender a orar com sinceridade, sem reservas, e a ouvir a voz suave do Espírito Santo. Deixe de lado a racionalidade e permita que o Reino se manifeste em você.

Um coração de criança abre as portas para o Reino de Deus e vivencia o sobrenatural em cada dia.

JESUS É SUFICIENTE PARA VOCÊ?

12 MAR

"E a sua plenitude enche todas as coisas."
Efésios 1:23

Hoje convido você a refletir sobre a sua vida. Por que algumas áreas estão florescendo enquanto outras enfrentam desafios? Por que, em algumas partes de sua vida, você permite que Jesus governe, mas em outras ainda mantém o controle?

O desafio de hoje é entregar todas as áreas de sua vida nas mãos de Jesus, reconhecendo que Ele é completamente suficiente. Deixe que Sua presença preencha todos os vazios, pois Ele é o único verdadeiramente capaz de saciar todas as suas necessidades. Permita que Jesus seja o centro de todas as áreas de sua vida, e você experimentará Sua plenitude e graça transformadoras.

Quando Jesus é suficiente em todas as áreas da sua vida, você encontra plenitude e propósito verdadeiro.

"Confie Nele completamente, e você descobrirá que Ele é tudo."

ANOTAÇÕES

13 MAR

POR QUE TER MEDO?

"No amor não existe medo; antes, o perfeito amor lança fora o medo."
1João 4:18

Você está familiarizada com o versículo que afirma que o amor lança fora todo o medo? Essa passagem ressalta que o medo é vencido pelo amor, mais especificamente pelo amor de Deus.

É essencial compreender que sentir medo não é algo normal; muitas vezes é um indício de que você pode não estar experimentando plenamente o amor divino. Ter conhecimento intelectual do amor de Deus não é suficiente; é fundamental sentir esse amor de maneira profunda e verdadeira, a ponto de afastar todos os medos.

Então reflita: você se sente verdadeiramente amada por Deus ou os medos ainda encontram espaço em seu coração?

"Quando você experimenta o amor de Deus, os medos desaparecem, dando lugar à confiança e à paz."

ANOTAÇÕES
_____
_____
_____
_____
_____
_____
_____
_____

UMA VIDA PLANEJADA

14 MAR

"Em seu coração o homem planeja o seu caminho, mas o Senhor determina os seus passos."
Provérbios 16:9

Imagine sua vida como um livro sendo escrito a cada dia. Decisões, escolhas, passos que você dá contribuem para o enredo de sua história. O versículo de Provérbios 16:9 nos lembra que, embora possamos fazer planos, o Senhor é quem direciona nossos passos. Isso significa que, embora tenhamos sonhos e objetivos, devemos sempre lembrar que Deus tem um plano soberano para nós. Ele conhece o caminho que nos levará à realização e à felicidade verdadeira.

Quando buscamos a vontade de Deus em nossa vida e permitimos que Ele seja o autor principal de nossa história, experimentamos uma paz e uma alegria que vão além da compreensão. Cada desafio se torna uma oportunidade para crescer em fé; cada obstáculo, uma chance de confiar ainda mais no Senhor.

Então, hoje, comprometa-se a entregar seus planos a Deus. Ore e busque Sua orientação, confiando que Ele está escrevendo a história de sua vida da maneira mais perfeita possível.

"Deus planeja, você realiza."

ANOTAÇÕES

15 MAR

TROQUE O SEU FARDO!

"Vinde a mim todos os que estais cansados e oprimidos, e eu vos aliviarei."
Mateus 11:28

Quando Jesus nos convida a vir a Ele, promete aliviar nossos fardos e fazer descansar nossa alma. Seu fardo é leve, e Ele já carregou o peso por nós. Não precisamos carregar o peso da culpa, da ansiedade e do medo.

Hoje, reserve um tempo para estar na presença de Jesus e entregue a Ele o fardo que tem pesado sobre seus ombros. Aceite o sacrifício que Ele fez por você na cruz e o preço que pagou para libertá-la. Permita que Ele lhe dê o refrigério de que você tanto precisa e desfrute a leveza que vem de confiar Nele.

Você não precisa mais carregar todo esse peso sozinha!

"Entregue a Jesus o seu fardo e encontre descanso e paz em Sua presença."

ANOTAÇÕES

VENÇA O MAL COM O BEM

16 MAR

"Não te deixes vencer pelo mal, mas vence o mal com o bem."
Romanos 12:21

Jesus nos deixou um valioso ensinamento: não retribuir o mal com o mal, mas, pelo contrário, responder ao mal com o bem. Ao longo de nossa vida, é quase certo que encontraremos pessoas que nos prejudicarão de alguma forma. No entanto, devemos lembrar que fomos criadas para amar, mesmo aqueles que nos causam mal. Você se sente capaz de praticar esse amor incondicional? Jesus exemplificou isso durante Sua vida, transformando o mal que lhe fizeram em amor.

Em uma geração carente de amor, somos chamadas a fazer a diferença. Se você enfrenta dificuldades em seguir os passos de Jesus, peça-Lhe que aqueça o seu coração com o Seu amor.

Com determinação, podemos vencer o mal com o bem e ser agentes de transformação no mundo.

"Transforme o mal com o bem e seja um farol de amor na escuridão do mundo."

ANOTAÇÕES

17 MAR

> "Bem-aventurado o homem que não anda segundo o conselho dos ímpios, nem se detém no caminho dos pecadores (...)"
>
> **Salmos 1:1**

CUIDADO COM OS AMBIENTES EM QUE VOCÊ ESTÁ

Cuidado com os ambientes que você frequenta. Por onde você tem andado? Com quem você tem andado? Os lugares que você visita estão realmente lhe fazendo crescer espiritualmente?

Pode ser que sua fé e sua alegria estejam sendo afetadas pelo ambiente em que você se encontra. Desafio você a analisar cuidadosamente os convites que recebe e a fazer as seguintes perguntas: Como esse convite irá agregar à minha vida espiritual? Quem são as pessoas que estarão presentes?

Escolha seus ambientes com sabedoria!

"Escolha ambientes que alimentem sua fé e a ajudem a crescer espiritualmente."

ANOTAÇÕES

NO SÉTIMO DIA ELE DESCANSOU

18 MAR

"Descansa no Senhor e espera nele."
Salmos 37:7

Em Gênesis, na história da criação do mundo, é dito que no sétimo dia Ele descansou. O descanso no texto não quer dizer que Deus dormiu, ficou deitado o dia todo sem fazer nada. Esse descanso na verdade é o momento em que Deus olhou para tudo o que Ele havia feito, respirou e viu como era bom, como era lindo! Ele desfrutou desse momento.

E você, tem desfrutado de tudo o que Deus fez? Ou a sua correria está tão grande que não consegue parar para contemplar a beleza de Deus? Quando dedicamos tempo para descansar, não reabastecemos apenas nosso corpo, mas também nossa alma.

Descobrir paz, reflexão e conexão com o Divino é um momento para recarregar nossas energias e ganhar forças para enfrentar os desafios que virão.

"O descanso em Deus é a pausa necessária para viver a verdadeira paz."

ANOTAÇÕES

19 MAR

"Confie no Senhor de todo o seu coração e não se apoie em seu próprio entendimento."

Provérbios 3:5

"Deus jamais nos decepciona."

ANOTAÇÕES

CONFIE EM DEUS

Já se sentiu desapontada por depositar sua confiança em pessoas ou coisas que falharam? É hora de mudar a forma como você pensa! Redirecione sua confiança para o Senhor, pois Ele é constante e eterno. Deus é o início e o fim, a própria personificação do amor, e nunca irá desapontá-la.

Quando alguém a magoar, veja isso como uma oportunidade de crescimento, sabendo que Deus está no controle e utiliza todas as situações para o seu bem.

Confie em Deus, pois Ele é a rocha inabalável que nunca a decepcionará, mesmo nas situações mais desafiadoras.

TRÊS ETAPAS PARA SONHAR

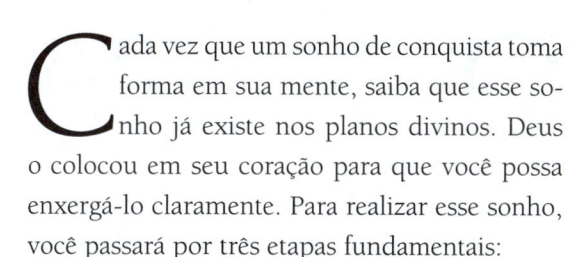

20 MAR

"Pois tenho a certeza de que nada pode nos separar do seu amor."
Romanos 8:38

Cada vez que um sonho de conquista toma forma em sua mente, saiba que esse sonho já existe nos planos divinos. Deus o colocou em seu coração para que você possa enxergá-lo claramente. Para realizar esse sonho, você passará por três etapas fundamentais:

Descoberta: É o momento em que Deus revela o sonho a você.

Preparação: Nesta fase, você caminha pelo vale, mas é um período de preparação para a realização.

Cumprimento: Finalmente você desfrutará do seu sonho se mantiver a fé e a confiança em Deus.

Decida viver 100% de tudo o que Deus tem para você. Não permita que o medo encontre espaço em seu coração!

"Nas etapas da realização dos seus sonhos, mantenha a fé e a confiança, pois Deus está sempre com você."

ANOTAÇÕES

21 MAR

> *"Pois Deus não nos deu um espírito de covardia, mas de poder, de amor e de equilíbrio."*
> **2Timóteo 1:7**

VOCÊ NÃO É ESCRAVA

O medo tem sido uma corrente que a impede de viver a vida plena que Jesus prometeu. Ele a afasta de sua verdadeira identidade e essência.

Apesar de a Bíblia nos exortar 365 vezes a não temer, o medo ainda encontra um lugar em nosso coração. Hoje o verdadeiro amor de Deus está expulsando o medo do seu coração, reafirmando sua identidade como uma filha escolhida, não uma escrava.

Reivindique agora essa identidade e não permita mais que o medo a domine!

"Quando o amor de Deus lança fora o medo, você descobre a liberdade de ser quem Ele a criou para ser."

ANOTAÇÕES
_____
_____
_____
_____
_____
_____
_____
_____

VOCÊ TEM FÉ?

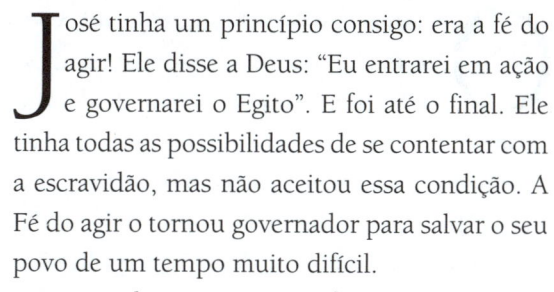

22 MAR

"Assim também a fé, se não tiver obras, é morta em si mesma."
Tiago 2:17

José tinha um princípio consigo: era a fé do agir! Ele disse a Deus: "Eu entrarei em ação e governarei o Egito". E foi até o final. Ele tinha todas as possibilidades de se contentar com a escravidão, mas não aceitou essa condição. A Fé do agir o tornou governador para salvar o seu povo de um tempo muito difícil.

José tinha um princípio firme e seguiu com determinação. Mesmo diante de desafios, José não se contentou com a escravidão, mas agiu com fé. Essa fé ativa o levou a se tornar governador e salvar seu povo em tempos difíceis.

A fé que nos move para a ação pode realizar maravilhas em nossa vida. Qual ação você tomará hoje? A verdadeira fé se manifesta no agir.

"Tenha coragem para agir e verá maravilhas acontecerem."

ANOTAÇÕES

23 MAR

VOCÊ PODE VOAR!

"Perdoem as ofensas uns dos outros, assim como também Deus os perdoou em Cristo."
Efésios 4:32

"Liberte-se hoje e permita que sua vida voe mais alto do que você jamais imaginou."

ANOTAÇÕES

O que tem aprisionado você? Quando você soltar as amarras que a prendem ao chão e a fazem arrastar pela vida, descobrirá quanto pode ir além. Mas, para que essas correntes emocionais sejam desfeitas, o primeiro passo é o perdão.

Quem você precisa perdoar? Para quem você precisa pedir perdão? Faça uma lista hoje mesmo e não deixe acabar o dia sem tomar uma ação para se libertar dessas amarras. Solte as correntes emocionais que a aprisionam agora e voe!

Às vezes somos amarradas por correntes emocionais que nos impedem de alcançar nosso verdadeiro potencial e voar livremente. Quando liberamos essas correntes, o céu se torna o limite. O perdão é a chave para soltar as correntes que nos aprisionam.

A ÚNICA VERDADE

24 MAR

"Eu sou o Caminho, a Verdade e a Vida."
João 14:6

Neste mundo cheio de informações, opiniões e discussões diversas, às vezes nos sentimos perdidas, procurando a verdade em meio ao caos. Mas a Palavra de Deus nos revela a única verdade inabalável. Ele é uma fonte inesgotável de sabedoria, amor e luz.

Quando nos voltamos para Jesus, descobrimos a verdade que liberta nosso coração das mentiras do mundo. Descobrimos intencionalmente esperança e segurança em Sua graça.

O mundo nos oferece ilusões passageiras, mas a verdade de Deus é eterna. Apegue-se a Ele, confie em Seus caminhos e viva na certeza de Sua promessa.

"Em Jesus encontramos a verdade."

ANOTAÇÕES

25 MAR

"O teu falar seja sempre agradável e temperado com sal, para que saibas como responder a cada um."
Colossenses 4:6

"Compartilhe a mensagem em seu coração com o mundo!"

ANOTAÇÕES
_____
_____
_____
_____
_____
_____
_____
_____

O QUE FAZ O SEU CORAÇÃO QUEIMAR?

Você tem alguma mensagem dentro do seu coração que desejaria gritar para os quatro cantos do mundo? Saiba que, quando nos colocamos à disposição do Senhor, Ele nos faz canais de vida para outras pessoas. Existem pessoas que precisam ouvir a sua mensagem, a sua história de superação e de transformação.

Se fosse para você compartilhar uma história de superação e transformação, qual seria? Às vezes carregamos experiências poderosas, superações e transformações em nossa vida, e essas histórias podem tocar profundamente outras pessoas. Suas palavras têm o poder de incendiar corações e inspirar vidas.

Compartilhe o que arde em seu coração e seja uma luz para os outros.

SIM OU NÃO?

26 MAR

"Seja, porém, o vosso falar: Sim, sim; não, não; porque o que passa disto é de procedência maligna."
Mateus 5:37

Você tem dito mais sins ou mais nãos ao longo da vida? Para muitas pessoas, dizer "não" é um desafio. Algumas pessoas simplesmente não conseguem.

Você sabia que dizer "não" para uma pessoa é dizer "sim" a muitas coisas importantes para você? Dizer "sim" e "não" são escolhas poderosas que moldam nossa vida e refletem nossos valores e prioridades. Dizer "não" pode ser um ato de autenticidade e proteção de nosso tempo e energia. Dizer "não" não significa egoísmo; significa estabelecer limites saudáveis e garantir que suas escolhas estejam alinhadas com seus objetivos e bem-estar.

Portanto, escolha com sabedoria e equilíbrio entre "sim" e "não" para viver uma vida que reflita suas verdadeiras paixões e valores.

"Escolha aquilo que é verdadeiramente valioso para você."

ANOTAÇÕES

27 MAR

PLANEJE ALGO NOVO

> *"'Porque sou eu que conheço os planos que tenho para vocês', diz o Senhor, 'planos de fazê-los prosperar e não de lhes causar dano, planos de dar-lhes esperança e um futuro.'"*
>
> **Jeremias 29:11**

A esperança de viver algo novo é o que nos move e nos faz continuar firmes no agradável propósito de Deus para nossa vida. Em meio às incertezas da vida, encontramos segurança em nossa fé, sabendo que o futuro promete mais que o presente.

Peça ao Espírito Santo para acessar seu coração e gerar fé e a convicção de que seu futuro será sempre melhor que o seu presente. Confie em Deus, que está sempre moldando seu amanhã de acordo com seu plano perfeito. Seja específica, fale com Ele sobre seus projetos e permita-se viver!

Confie que Ele está presente em cada passo do caminho, guiando-a na jornada para novas experiências e bênçãos.

"Coloque sua esperança em Deus, confiando que Ele tem preparado algo novo e promissor para sua vida."

ANOTAÇÕES
_____
_____
_____
_____
_____

GUARDE SEU CORAÇÃO

28 MAR

"Acima de todas as coisas, guarde seu coração, pois ele dirige o rumo de sua vida."
Provérbios 4:23

Seu coração é um lugar que pode ser contaminado facilmente, por palavras, pessoas e situações. O coração é um lugar sagrado, um refúgio das influências do mundo. O que você tem deixado entrar em seu coração? Reflita sobre isso e decida realizar uma "faxina" nele.

Determine que ele está agora guardado com amor, protegido pelas verdades da Palavra de Deus e pelos preciosos momentos que você compartilha com o Senhor. Tome a decisão de manter o seu coração resplandecente de amor e fé.

O Senhor é o guardião do seu coração, e com Ele você está segura. Seu coração é um presente divino!

"Que o amor e a fé sejam o alicerce do seu coração."

ANOTAÇÕES

29 MAR

ESCASSEZ NÃO É DE DEUS!

"Deus é o dono de toda a riqueza e provê abundantemente. A escassez é resultado de crenças limitantes. (...)"
Filipenses 4:19

A escassez não é de Deus, mas sim resultado de crenças limitantes que nos fazem temer a falta e nos impedem de viver na plenitude as riquezas que Deus nos oferece. É hora de mudar nossa mentalidade e confiar que Ele é o provedor abundante.

Aprenda a administrar suas finanças com sabedoria e fé, e você experimentará a abundância que Deus deseja para sua vida. Em 2Coríntios 9:8 está escrito: "Deus é poderoso para fazer abundar em vós toda a graça, a fim de que, tendo sempre, em tudo, toda suficiência, superabundeis em toda boa obra".

Portanto, creia que Ele deseja suprir todas as suas necessidades e abencoá-la com a riqueza espiritual e material.

"Tenha fé em Deus, desenvolva uma mentalidade de abundância."

ANOTAÇÕES

ELE É NOSSO BÁLSAMO

30 MAR

"Ele sara os de coração quebrantado e cura as suas feridas."
Salmos 147:3

Mais precioso que qualquer outro bálsamo, o sangue de Jesus não apenas cura o seu físico, mas também a sua alma! Ele é o amor que você anseia, a liberdade que liberta e a cura que restaura. Ele é a resposta para todas as suas necessidades e a esperança para um coração ferido. E a melhor notícia é que você tem acesso a ele.

O bálsamo de Jesus é gratuito. Deixe o amor de Jesus envolver você, trazendo cura e restauração para a sua alma. Às vezes a vida pode deixar cicatrizes profundas em nossa alma, mas o amor de Jesus tem o poder de transformar nossas feridas em testemunhos de superação.

"No amor de Jesus encontramos o bálsamo que cura nossa alma e restaura nossa identidade."

ANOTAÇÕES

31 MAR

"Tudo posso naquele que me fortalece."
Filipenses 4:13

UM ESPÍRITO INABALÁVEL

Ter um espírito inabalável está muito além de ser forte; está em saber exatamente quem você é em Deus. Nada abalou Jesus, nem mesmo a cruz, porque Ele sabia quem era em Deus. Da mesma forma, essa é a sua identidade, e você também tem esse mesmo espírito dentro de si! Porém é preciso aceitar e assumir a sua identidade, e assim nada que for externo a abalará!

Ter um espírito inabalável não significa que você nunca enfrentará desafios, problemas ou situações difíceis. Significa que, independentemente das circunstâncias, você permanece firme em sua identidade em Deus e na confiança de que Ele está no comando supremo de tudo.

Quando compreendemos nossa filiação divina e aceitamos nossa identidade, somos revestidas de tal força espiritual que nada nos abala.

"Seja inabalável em Cristo, pois nele você encontra força e identidade."

ANOTAÇÕES

ABRIL

01 ABR

"Não deixem que o seu coração fique aflito. Creiam em Deus, e creiam também em mim."

João 14:1

UMA ARMADURA CONTRA A PREOCUPAÇÃO

Você acha que é possível crer no Senhor, confiar Nele e ainda assim continuar preocupada? Não é possível, pois, se você crê e confia Nele, não existe essa possibilidade. Porém, os anseios da nossa alma abalam nossa confiança e consequentemente a nossa fé, gerando dúvidas e preocupações em nosso coração.

Para evitar ser cativo da preocupação, precisamos fortalecer nossa fé no Senhor e apegar-nos a Suas promessas. A fé em Cristo deve ser nossa armadura contra as inquietações que tentam minar nossa confiança.

Se você não quer ser capturada pelas amarras da preocupação e ser arrancada de sua fé em Cristo, aprenda e busque fortalecer-se no Senhor. Ele nos deu a receita, precisamos praticá-la em nossa vida todos os dias.

"A verdadeira fé é uma armadura contra a preocupação."

ANOTAÇÕES

APRENDA A SER UM MILAGRE TODOS OS DIAS

02 ABR

> "Ou vocês não sabem que o corpo de vocês é santuário do Espírito Santo que habita em vocês, que lhes foi dado por Deus, e que vocês não são de si mesmos?"
>
> **1Coríntios 6:19**

Hoje convido você a abraçar a oportunidade de ser um milagre todos os dias. Às vezes pensamos que os milagres são eventos grandiosos e sobrenaturais, mas a verdade é que cada dia de vida é, em si, um milagre. Cada amanhecer nos presenteia com a dádiva da vida, e isso é uma maravilha divina.

Quando olhamos para 1Coríntios 6:19, somos lembradas de que nosso corpo é templo do Espírito Santo e, ao escolhemos nutrir nosso corpo com alimentos saudáveis, exercitar nossos músculos e praticar a gratidão, estamos trazendo o milagre da saúde para nossa vida. Escolha viver com gratidão, cuidar de si mesma e espalhar o amor para aqueles que cruzam o seu caminho.

Seja um milagre todos os dias, pois a vida é um presente divino, e a maneira como vivemos é a nossa resposta a esse presente.

> "A cada novo dia, você tem a chance de ser um milagre na vida de alguém."

ANOTAÇÕES

03 ABR

COMO SE ALEGRAR NO SENHOR

> "(...) Ainda que os rebanhos morram nos campos e os currais fiquem vazios, mesmo assim me alegrarei no Senhor."
>
> **Habacuque 3:17**

A verdadeira alegria é duradoura e profunda e está no seu relacionamento com Deus. Para vivenciar essa alegria é essencial focar em nosso relacionamento com Ele, cultivar uma vida de oração e meditação, manter nosso coração sintonizado com o amor e a provisão divina.

Quando reconhecemos que Deus é nosso sustento, encontramos contentamento interior. Ser alegre em Cristo pode não significar que está tudo bem, mas que, independentemente do que esteja acontecendo com você, Deus a sustenta e provê todas as coisas.

> "A verdadeira alegria em Cristo não depende das circunstâncias, mas da nossa conexão com Deus."

ANOTAÇÕES
_____
_____
_____
_____
_____
_____
_____
_____

A PROMESSA DE JESUS

04 ABR

"O ladrão vem para roubar, matar e destruir. Eu vim para lhes dar vida, uma vida plena, que satisfaz."
João 10:10

Por ansiar a plenitude, buscamos entender o que é ter uma vida completa emocional, física e espiritualmente. A promessa de Jesus é de que podemos alcançar essa plenitude. Nele encontramos a promessa de uma saúde física completa, a plenitude da alma de nossos pensamentos e emoções e uma vida espiritual vibrante e cheia de alegria.

Direcione, a cada manhã, a sua vida para Jesus; o caminho para uma existência feliz e alegre está em Sua presença. Se você acorda todas as manhãs com o desejo de uma vida plena mas não sabe como fazer, lembre-se de que Jesus nos fez para sermos abundantes. Ao longo do dia, enquanto realiza suas atividades, experimente a abundância de Deus em todas as áreas de sua vida, declarando saúde física, emocional, mental e espiritual sobre si mesma.

A cada novo dia, acorde com a determinação de viver essa completude que Ele prometeu.

"Acorde todos os dias para viver uma vida plena em Jesus."

ANOTAÇÕES

05 ABR

> "E, agora, que o Deus da paz os torne santos em todos os aspectos (...)"
>
> **1 Tessalonicenses 5:23**

"O meu espírito está ativado no Espírito Santo de Deus, e posso sentir a plenitude da minha vida."

ANOTAÇÕES

DESCOBRINDO A VONTADE DE DEUS

Você busca uma vida que valha a pena ser vivida, mas sente-se insatisfeita por não entender a vontade de Deus? Você ainda não teve o privilégio de ouvir as boas-novas do céu? Neste dia encontramos a promessa de que nosso espírito, alma e corpo podem ser mantidos irrepreensíveis até o dia em que Nosso Senhor Jesus retornar.

É uma maravilha termos a oportunidade de alcançar nosso máximo potencial, realizar nossos sonhos e experimentar uma felicidade completa. Declare a Palavra de Deus sobre sua vida e abra os olhos espirituais para compreender as promessas Dele. Profetize sobre sua família, seu cônjuge e seus filhos, não aceite que sua família viva uma vida medíocre e infeliz. Deus nos criou para sermos felizes; esse é o seu desejo mais profundo.

Tenha a convicção do amor de Deus por você, pois Ele nos guia a uma vida extraordinária. Esteja confiante de que hoje será um dia maravilhoso!

A CHAVE PARA O REINO DOS CÉUS

06 ABR

"Deixem que as crianças venham a mim. Não as impeçam, pois o Reino dos Céus pertence aos que são como elas."
Mateus 19:13

A inocência de uma criança a torna pura diante dos olhos de Jesus, e é por isso que Ele nos diz que o Reino de Deus já pertence a elas. À medida que crescemos, muitas vezes perdemos essa inocência, nos tornando ásperas, fechadas, desconfiadas e escravas de preocupações mundanas.

A boa notícia é que o Reino já está aqui e agora! Hoje faço um chamado para lhe despertar a experimentá-lo, porém é essencial que voltemos a ser como crianças. Viva com os olhos de uma criança, aprenda com elas, escute-as e reconheça que são canais perfeitos de Deus! Ser como criança envolve a busca da inocência, simplicidade e amor puro que a capacitará a vivenciar o sobrenatural do Reino que está dentro de cada uma de nós.

Ao abraçar a mentalidade e o coração de uma criança, podemos redescobrir a maravilha, a alegria e a confiança que nos permitem desfrutar plenamente do presente.

"Eu sou como criança, e o Reino de Deus já é meu."

ANOTAÇÕES

07 ABR

O BANQUETE DIVINO

"Por que gastar seu dinheiro com comida que não fortalece? (...) Ouçam-me, e vocês comerão o que é bom e se deliciarão com os alimentos mais saborosos."
Filipenses 4:6

A alimentação é essencial para nossa saúde e bem-estar. Se gastamos nosso dinheiro com alimentos que não nos fortalecem ou satisfazem, estamos descuidando de nós mesmas e de nossa administração financeira.

Deus nos criou em um mundo repleto de alimentos deliciosos e saudáveis, mas muitas vezes insistimos em consumir produtos industrializados, que prejudicam nossa saúde. Pense: como você tem administrado seu dinheiro em relação aos alimentos? Essa análise pode se estender a outras áreas de sua vida.

Comece agora a "comer" o melhor que esta terra oferece em todos os aspectos.

"Afirme: 'Sei administrar o dinheiro e certamente comerei o melhor desta terra'."

ANOTAÇÕES
_____
_____
_____
_____
_____
_____

JESUS É A PORTA PARA A SALVAÇÃO

08 ABR

"Eu sou a porta; se alguém entrar por mim, salvar-se-á (...)".
João 10:9

Certamente desejamos uma porta aberta, um caminho que nos conduza a alegria, prosperidade, paz, saúde, amor e muitas outras bênçãos. Quais portas você tem buscado em sua vida hoje? Jesus é a porta que tanto procura? Ele é a porta da salvação, o refúgio seguro!

Se você estiver enfrentando perigos, entre por essa porta! Pois, uma vez que você tenha entrado nesse abrigo de amor, paz, proteção e cura, nada no mundo será capaz de abri-la novamente. Conecte-se a sua fé e reserve um tempo para meditar e orar, um momento de quietude e profunda fé. Respire profundamente, feche os olhos e permita que a presença de Deus a envolva.

Concentre-se em Deus, eliminando as distrações para tornar esse momento verdadeiramente edificante, fortalecendo a convicção em seu coração.

"Quando Jesus é a porta, o vazio se enche de amor e paz."

ANOTAÇÕES

09 ABR

LIBERE PERDÃO

"Suportem-se uns aos outros e perdoem as queixas que tiverem uns contra os outros. Perdoem como o Senhor lhes perdoou."
Colossenses 3:13

"Quando dispomos nosso coração a perdoar, experimentamos a libertação."

Jesus nos ensinou a oração do Pai-Nosso como um modelo de oração, não apenas para repetirmos palavras, mas para vivermos esses princípios em nossa vida. De que adianta proferir palavras se mantemos mágoas em nosso coração? Como buscamos o perdão com o coração contaminado de ressentimento?

Não importa quem nos feriu, o que importa é se nosso coração está disposto a perdoar, olhando para aquela pessoa da maneira como Deus a vê. Ele nos perdoou primeiro, sem questionar, sem hesitar. Ele sofreu, foi transpassado, tudo por amor. E assim recebemos a oportunidade de recomeçar e sermos purificadas de nossos pecados.

Perdoar nem sempre é fácil, mas é uma decisão racional. O perdão nos renova.

ANOTAÇÕES

APRENDA A LIDAR COM A DOR

10 ABR

"O Senhor está perto dos que têm o coração quebrantado e salva os de espírito abatido."
Salmos 34:18

Conhece a história de Jó? Um homem que perdeu tudo que conquistou em um único dia? Filhos, casa, empregados, animais. Imagine a dimensão de sua dor. O que você faria no lugar dele? Jó nos deu um exemplo notável. Em meio à tribulação, ele adorou a Deus. Isso é algo que raramente fazemos em tempos difíceis. No entanto, podemos aprender com ele: adore a Deus e confie no tempo, pois a dor não é eterna.

Tenha esperança, pois Deus promete secar todas as lágrimas, eliminando a morte e a dor. Portanto, ao enfrentar a dor, adore a Deus, confie no tempo. A esperança e a cura virão.

Lembre-se de que você não está sozinha nesse caminho; Deus está ao seu lado, guiando-a em direção à restauração e ao renascimento.

"O Senhor está perto dos corações quebrantados e salva os espíritos abatidos."

ANOTAÇÕES
_____
_____
_____
_____
_____
_____
_____
_____

11 ABR

TENHA UM CORAÇÃO NOBRE

"Assim, se alguém está em Cristo, é nova criatura; as coisas antigas já passaram, eis que surgiram coisas novas!"
2Coríntios 5:17

Você sabe o que significa ter um coração nobre? Muitos associam isso a boas ações e ao respeito aos outros. Mas vai além disso. Ter um coração nobre está relacionado a quem permitimos habitar em nosso coração. Então, quem habita seu coração?

Um coração nobre é aquele em que o Príncipe da Paz, Jesus Cristo, reside. Quando acreditamos que Ele morreu e ressuscitou na cruz por nós, perdoando nossos pecados, aceitamos um coração nobre, semelhante ao Dele. Se você ainda não entregou sua vida a Jesus, este é o momento perfeito!

Convide Jesus para habitar em seu coração e experimente a transformação e a nobreza que Ele oferece.

"Coração nobre é onde Jesus habita."

ANOTAÇÕES

PARE DE SENTIR MEDO

12 ABR

Há dois tipos de medo: o fisiológico e o emocional. No entanto, 1João 4:18 nos ensina que o amor genuíno elimina todos os medos. Esse amor é o de Jesus, e a pergunta é: você se sente verdadeiramente amada por Ele?

O medo é um reflexo da falta de amor que sentimos do Pai. Se o medo está presente em sua vida, aperfeiçoe-se no amor Dele, e você experimentará a libertação desse sentimento aprisionador.

Quando nos conscientizamos do amor incondicional de Deus, podemos enfrentar os medos com coragem. À medida que nos aprofundamos em Seu amor, o medo perde seu poder, e nossa confiança Nele se fortalece.

> "No amor não há medo; pelo contrário, o perfeito amor expulsa o medo, porque o medo supõe castigo. Aquele que tem medo não está aperfeiçoado no amor."
> **1João 4:18**

> "No abraço do amor de Deus, o medo desvanece, e a liberdade floresce."

ANOTAÇÕES

13 ABR

ATITUDES QUE SABOTAM A SUA FÉ

"Consequentemente, a fé vem por ouvir a mensagem, e a mensagem é ouvida mediante a Palavra de Cristo."
Romanos 10:17

"A fé se fortalece quando escolhemos ouvir a voz de Deus em Sua Palavra."

ANOTAÇÕES

Sabotar significa prejudicar ou dificultar algo em que você acredita, mas no seu inconsciente alguma crença está limitando concretizar a realização.

Atitudes comuns que indicam que você está sabotando a sua fé: negligenciar a leitura da Palavra de Deus; não separar um tempo de qualidade para estar com Deus; não orar; não perdoar; sentir medo e ansiedade constantes. Identificou algum sabotador? Sabotar a própria fé significa prejudicar o relacionamento com Deus e enfraquecer a confiança Nele. Reconhecer as atitudes que sabotam a fé é o primeiro passo para mudar o curso espiritual.

Mas, mesmo que tenhamos sabotado nossa fé, podemos restaurá-la. Romanos 10:17 nos ensina que a fé vem ao ouvir a mensagem da Palavra. Assim, ao voltarmos nossa atenção para Deus, ouvindo e meditando em Sua Palavra, restauramos nossa fé.

Catia Regiely

VOCÊ TEM CAPACIDADE DE PRODUZIR RIQUEZA?

Se você acha que precisa trabalhar noite e dia para ficar rica, está muito enganada! É isso mesmo! Com a força do seu trabalho, a Palavra diz que o homem é edificado, porém a riqueza você acessa quando decide ir para o Senhor. Ir até o Pai é ter intimidade com Ele, desvendar na Palavra todas as promessas que estão disponíveis para você.

A Palavra nos lembra que nossa capacidade de produzir riqueza não é resultado exclusivo de nossos esforços humanos, mas uma dádiva de Deus. Compreender essa perspectiva pode transformar nossa abordagem à busca da riqueza. Prosperar não está apenas relacionado a trabalhar incansavelmente, mas também a buscar o coração de Deus. Ele nos revela seus segredos e nos conduz a uma vida de prosperidade que vai além das rápidas recompensas.

Você está pronta para ter um relacionamento íntimo com o Senhor?

14 ABR

"...lembrem-se do Senhor, do seu Deus, pois é Ele quem dá a vocês a capacidade de produzir riqueza (...)"
Deuteronômio 8:18

"A verdadeira riqueza é um dom de Deus, revelada àqueles que O buscam com o coração aberto."

ANOTAÇÕES

15 ABR

"Quero trazer à memória o que pode me dar esperança."
Lamentações 3:21

VOCÊ ACREDITA?

Quantos relacionamentos frustrados você já teve? Quantas decepções com amigos, familiares, parceiros, filhos, cônjuge? Às vezes as experiências passadas podem deixar cicatrizes profundas em nosso coração e fazer-nos questionar a verdade sobre os relacionamentos.

Mas hoje quero lembrar a você que a esperança pode ser encontrada na memória, como diz o livro de Lamentações. Quando refletimos sobre esse texto, somos lembradas daquele que deu Sua vida por nós, Jesus. Sua entrega nos inspira a acreditar na capacidade de restauração dos relacionamentos e a compreender que somos instrumentos na vida do nosso próximo.

Acredite sempre que, ao se conectar com as pessoas, você pode crescer e ser transformada.

"Existe algo nas pessoas que mudará você quando se conectar a elas."

ANOTAÇÕES

VOCÊ REAGE A CRISES?

16 ABR

Lemos em Provérbios que é na crise que o fraco é revelado; consequentemente, o forte também. Como você enxerga seus problemas e suas crises? A verdade é que os problemas são armas poderosas e podem ser vistos como verdadeiros presentes. Os problemas nos trazem oportunidades de crescimento e superação. Eles são como ferramentas que nos moldam e fortalecem.

Quando enfrentamos desafios, nossa resiliência é testada, e ao superá-los nos tornamos mais fortes. Uma das lições mais importantes que os problemas nos ensinam é a importância da autorresponsabilidade. Reconhecemos que somos capazes de superar desafios e encontrar soluções.

Em meio às crises, enxergue as oportunidades de crescimento.

> "Meus irmãos, considerem motivo de grande alegria o fato de passarem por diversas provações, pois vocês sabem que a prova da sua fé produz perseverança."
> **Tiago 1:2-3**

"A fé é o alicerce que a sustenta."

ANOTAÇÕES

17 ABR

ALEGRE-SE

> *"Por fim, meus irmãos, alegrem-se no Senhor. Nunca me canso de dizer-lhes estas coisas, e o faço para protegê-los."*
>
> **Filipenses 3:1**

Não são as circunstâncias da vida que devem determinar o seu estado de alegria, pois essa alegria está em seu interior. Estamos deixando que as circunstâncias gerem emoções, fazendo com que essas emoções nos dominem; ou seja, ficamos estressadas, tristes por qualquer motivo.

Lembre-se de que tudo aquilo em que você foca se expande. Então, aprender a alegrar-se é uma ação que somente você pode ter. E poderá vivenciar como é bom expandir a alegria que já está em você, em vez das preocupações ou emoções que não lhe fazem bem.

"Tudo o que você foca expande! Alegrar-se é uma ação que depende apenas de você!"

ANOTAÇÕES

Catia Regiely

DEUS É QUEM A FAZ FORTE!

18 ABR

"(...) Pois quando sou fraco é que sou forte!"
2Coríntios 12:10

Quem confia nas próprias forças acaba abatido, mas aquele que confia no Senhor tem força para enfrentar qualquer desafio! Ser forte em Deus a torna inabalável.

A natureza humana é traiçoeira, e, quando sentimos que temos tudo sob controle por causa da nossa capacidade, facilmente nos esquecemos de Deus. Contudo, nas horas de fraqueza, quando nos sentimos incapazes de resolver os nossos problemas sozinhas, tendemos a voltar para Deus e nos entregar à sua poderosa mão. E Deus nos faz fortes.

Veja quais são as situações que estão fazendo você se sentir fraca e busque em Jesus a sua força!

> "Eu sei quem sou em Cristo, por isso mesmo estando fraca me torno forte, e nada me abalará."

ANOTAÇÕES

19 ABR

> *"Porque, como o homem imagina em sua alma, assim ele é."*
> **Provérbios 23:7**

"Meus pensamentos guiam minhas ações e constroem a minha história."

ANOTAÇÕES
_____
_____
_____
_____
_____
_____
_____

O QUE VOCÊ PENSA VOCÊ CRIA!

Tudo que pode ser visto, tocado e explicado um dia foi imaginado por alguém. Deus usou a palavra criativa para trazer à existência o céu e a terra e tudo que há neles. Deus imaginou e depois formou. São as atividades criativas que nos elevam para estados intangíveis da alma.

A imaginação é a capacidade de pensar além do que podemos ver. Tudo o que você pensa você cria! Os seus pensamentos têm a capacidade de trazer a imaginação e trazer a existência. Jesus nos ensinou por meio da imaginação, com metáforas e parábolas, ajudando a aprender e enxergar além do nosso alcance.

E, por isso, hoje é um ótimo dia para avaliar como está a sua vida e o que você está criando. Se a sua conclusão for de que algo precisa mudar, então comece pelos seus pensamentos e verá que a mudança acontecerá!

Catia Regiely

EXPERIMENTE A BONDADE DE DEUS

20 ABR

"Sei que a bondade e a fidelidade me acompanharão todos os dias da minha vida, e voltarei à casa do Senhor enquanto eu viver."
Salmos 23:6

Você crê na bondade de Deus? A glória de Deus é quão bom Ele é. Se essa certeza não estiver em seu coração, você não acreditará em suas promessas e não conseguirá experimentar a Sua bondade!

No Antigo Testamento, Deus é visto como um Deus mau e irado, mas Jesus veio para restaurar a verdadeira imagem do Senhor. Por isso, quando o jovem rico o chama de bom mestre, imediatamente Cristo o corrige e diz que ninguém é bom, a não ser Deus. Veja que até mesmo os discípulos de Jesus ainda pensavam que as pessoas estavam doentes porque Deus estava irado com elas, a ponto de perguntarem para Cristo quem havia pecado: a pessoa que estava enferma ou seus pais? Jesus pacientemente respondeu que essas coisas acontecem para manifestar a glória de Deus. Não distorça a imagem de Deus, pois assim não experimentará a Sua bondade.

Creia na obra consumada da Cruz, esse maior ato de bondade, Cristo se entregando por nós.

"Deus é bom, e sua infinita bondade e doçura vão transformar o meu coração."

ANOTAÇÕES

21 ABR

COMO VIVER A VONTADE DO SENHOR?

"O mundo e a sua cobiça passam, mas aquele que faz a vontade de Deus permanece para sempre."
1João 2:17

Jesus nos deu uma clara ideia do que é viver para Deus, quando ensinou sobre o mandamento mais importante: "Amarás, pois, o Senhor, teu Deus, de todo o coração, de toda a tua alma, de todo o teu entendimento e de toda a tua força. Amarás o teu próximo como a ti mesmo. Não há outro mandamento maior do que estes" (Marcos 12:30-31).

Você deseja viver para Deus? Comece exercendo a intimidade com Ele, a fim de conseguir entender qual é a Sua vontade. Fale com Ele como se estivesse falando com seu pai ou com um amigo. Simples assim, um bate-papo!

Deus a convida a viver o Seu Reino aqui neste tempo; basta você dizer SIM.

"Eu vivo para viver a vontade de Deus em minha vida!"

ANOTAÇÕES

A GRATIDÃO A APROXIMA DE DEUS

22 ABR

> "Deem graças ao Senhor, clamem pelo Seu nome, divulguem entre as nações o que Ele tem feito. Cantem para Ele, louvem-no; contem todos os seus atos maravilhosos."
>
> **1Crônicas 16:8-9**

Você já agradeceu hoje? Quando exercemos a gratidão, alcançamos níveis muito mais profundos e elevados com Deus e somos mais felizes e saudáveis porque sabemos que tudo coopera para o nosso bem.

Também nos regozijamos o tempo todo, pois o Senhor é o centro de nossa vida, visto que entendemos que somos verdadeiramente amadas e cuidadas por Ele.

Se você tem andado ansiosa neste mundo repleto de incertezas, este é o momento de se render a Ele. Seja grata e anuncie a sua gratidão para aqueles que estão ao seu lado.

> "Eu sou grata ao Senhor, pois é Dele que vem tudo o que tenho e o que sou!"

ANOTAÇÕES

23 ABR

É MELHOR DAR QUE RECEBER

> "(...) podemos, com trabalho árduo, ajudar os necessitados, lembrando as palavras do Senhor Jesus: 'Há bênção maior em dar que em receber'."
>
> **Atos 20:35**

Receber parece ser muito melhor para a maioria de nós. Quem não gosta de receber presentes? Paulo, ao dizer que há maior alegria em dar, ensina que aquele que dá é porque já foi suprido, já foi abençoado com a bondade do Senhor e agora pode estender essas bênçãos ao seu próximo.

Para algumas pessoas, o "dar" significa perder. Mas, quando damos, geramos o ciclo da liberação divina, que sempre nos levará a ter ainda mais; ou seja, quem dá generosamente também recebe generosamente. Decida ser generosa! Mude a disposição do seu coração e nunca mais será a mesma.

Dê algo para alguém, nem que seja o seu tempo, mas esteja disponível para cumprir. Plante essa semente em terreno fértil e logo você colherá o fruto dela.

"Se você dá em abundância, também em abundância lhe será dado."

ANOTAÇÕES

Catia Regiely

EXAMINANDO O CORAÇÃO

24 ABR

"(...) pois o homem olha para o que está diante dos olhos, porém o Senhor olha para o coração."
1Samuel 16:7

Deus esquadrinha o seu coração e sabe tudo o que se passa nele. Quando Ele olha para você, ele vê o seu coração. Um exemplo que gosto de citar é o de Davi: apesar do comportamento dele em muitas ocasiões, ele sempre expôs o coração para Deus, o que fez com que fosse conhecido o homem segundo o coração de Deus.

Jesus também nos ensina a examinar o nosso próprio coração, Você tem feito isso? Enfrente esse momento e desfaça-se na presença do Senhor, despindo-se verdadeiramente, para que Ele refaça e cure o que precisa.

O seu coração precisa estar limpo e guardado, pois é dele que depende a sua vida.

"Quando o Senhor me olha, Ele vê o meu coração."

ANOTAÇÕES

25 ABR

O AMOR DE DEUS SUPERA TODAS AS RIQUEZAS

"Comigo estão riquezas e honra, prosperidade e justiça duradouras."
Provérbios 8:18

"Eu posso sentir o amor do Pai, pois agora me tornei Filha."

ANOTAÇÕES

Qual a maior riqueza que você já recebeu na vida? Casamento, filhos, bens materiais, dinheiro? Pois a maior riqueza que podemos experimentar nesta vida é o amor de Deus, que supera qualquer riqueza material deste mundo. Ele a ama independentemente do que você possa fazer ou sentir.

O amor verdadeiro liberta, por isso Deus não aprisionou a sua criação. Ele nos amou primeiro e nos ama desesperadamente como filhas! Se ainda não tinha essa visão e deseja receber o amor de Deus, apenas creia no seu Filho, no amor incondicional, e entregue-se!

Declare a Deus que você crê em Jesus de todo o seu coração, que você quer sentir esse amor e vivê-lo todos os dias de sua vida como filha amada do Pai.

Catia Regiely

VOLTE PARA AGRADECER

26 ABR

"Quem oferece agradecimentos como sacrifício glorifica a Deus."
Salmos 50:23

Quando Jesus estava indo a Jerusalém, passou pelo meio de Samaria e da Galileia e, ao entrar em certa aldeia, saíram ao encontro dele dez homens leprosos, que levantaram a voz dizendo: "Jesus, Mestre, tem misericórdia de nós" (Lucas 17:13). E Jesus, vendo-os, teve compaixão e disse para eles irem e mostrarem aos sacerdotes que estavam curados.

Apenas um deles, vendo que estava curado, voltou glorificando a Deus em alta voz, caiu aos pés Dele, com o rosto em terra, dando-lhe graças. Os demais foram embora sem olhar para trás.

Reflita como você tem agido diante das bênçãos, dos livramentos e dos aprendizados que o Senhor lhe dá. Quantas vezes você volta para agradecer? Desenvolver um coração grato é o primeiro passo para consolidar seu relacionamento com Deus.

Comece a lembrar os motivos pelos quais você deve ser grata e demonstre gratidão ao Pai neste dia!

"Senhor, sou grata pelo teu amor e por colocar paz em meu coração."

ANOTAÇÕES

27 ABR

VOCÊ É CURADA

> *"Apesar disso, foram as nossas enfermidades que ele tomou sobre si, e foram as nossas doenças que pesaram sobre ele."*
>
> **Isaías 53:4**

Quando Deus faz uma promessa, ela já se cumpriu. Pare de ler a Bíblia como algo que acontecerá, mas como algo que já aconteceu. Deus já levou sobre si todas as nossas enfermidades. A partir do momento em que você acreditar que Ele não vai curar, porque Ele já curou, que Ele não vai libertá-la, porque Ele já libertou, tudo será transformado em sua vida.

A partir de agora, acredite em sua cura e tome posse dela! Essa enfermidade que está em você não é sua! E você precisa declarar isso com a sua boca. Agradeça a cura que Jesus já lhe deu há mais de dois mil anos.

Pare de dizer: "Eu tenho isso, eu tenho aquilo!". Pare agora! Essa enfermidade não é sua!

"Eu sou totalmente curada e desfruto da minha cura todos os dias!"

ANOTAÇÕES

ESTÁ TUDO DISPONÍVEL PARA VOCÊ!

28 ABR

Deus é o dono de todas as coisas e é maior que todas elas; não há espaço para limitações Nele. Ele é dono do nosso dinheiro, que é uma forma de representação de todas as riquezas que Deus colocou neste mundo e nos deu para administrar.

Antes de sair por aí gastando dinheiro de qualquer maneira, busque saber com Deus a melhor maneira de fazer com que esse dinheiro satisfaça as necessidades da sua família e seja um instrumento abençoador de vidas. Tudo que existe à sua volta só foi possível pelas mãos do Criador, e precisamos administrar com zelo.

Para ser uma boa administradora, tudo que for fazer, faça como se estivesse fazendo para Ele.

> "A vós, Senhor, a grandeza, o poder, a honra, a majestade e a glória, porque tudo que está no céu e na terra vos pertence... E é vossa mão que tem o poder de dar a todas as coisas grandeza e solidez."
> **1 Crônicas 29: 11-12**

> **"Deus é o dono de todas as coisas e é maior que todas elas".**

ANOTAÇÕES

29 ABR

SOLTE A CORDA

"Quando os dias forem bons, aproveite-os bem; mas, quando forem ruins, considere: Deus fez tanto um quanto o outro, para evitar que o homem descubra qualquer coisa sobre o seu futuro."
Eclesiastes 7:14

Nada em nossa vida ocorre por acaso, e muitas vezes, quando estamos diante de circunstâncias adversas, não conseguimos entender de imediato, mas nem mesmo o sofrimento é por acaso, pois todas as coisas acontecem por um propósito e cooperam para o nosso bem, assim como aprendemos com o apóstolo Paulo.

Quando o dia mau vier, considere que você não está sozinha. Toda dor vem para nos dar um recado, nos avisar de que algo não vai bem e precisa de atenção. O sofrimento pode estar na sua vida há mais tempo, e talvez você não esteja conseguindo enxergar uma solução, como se estivesse na brincadeira do cabo de guerra.

Eu a convido agora a soltar essa corda, a parar de lutar contra o sofrimento e contra a dor, para assim entender o que eles querem ensinar.

"Mesmo nos dias ruins eu aprendo e refaço a minha rota."

ANOTAÇÕES
_____
_____
_____
_____
_____
_____
_____
_____

DE SERVA A FILHA

30 ABR

"Se alguém quer ser meu discípulo, siga-me, pois meus servos devem estar onde eu estou. E o Pai honrará quem me servir."
João 12:26

Seguir a Jesus é querer ter a vida transformada totalmente, é querer beber da água da vida para nunca mais ter sede. É viver uma vida contrária ao que o mundo nos apresenta. É renovar a mente e o comportamento.

Não pense que a sua vida será como a de Jesus se você ficar parada esperando as coisas acontecerem. Esse é um processo que se inicia quando você desperta para essa consciência.

Tome posse da luz que há em você dia após dia. Deixe para trás todo o passado, e a partir de agora aprenda cada dia mais a viver como Jesus viveu. Não faça disso um peso; o seu espírito está pronto, basta buscá-lo e conhecê-lo cada vez mais, e assim também conhecerá a si mesma.

"Eu sou Filha e discípula de Jesus, e minha mente se renova a cada manhã!"

ANOTAÇÕES

MAIO

VOCÊ CRÊ?

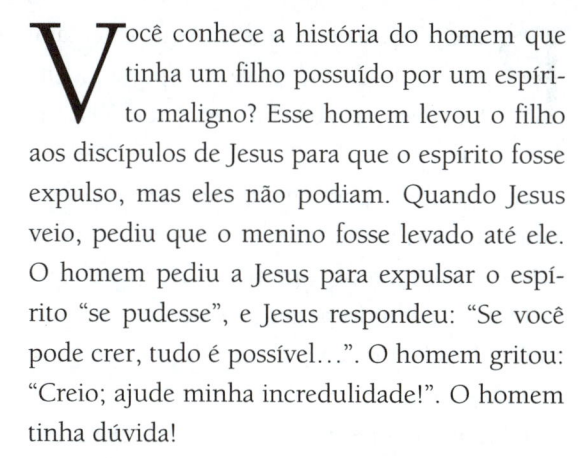

01 MAIO

"Tudo é possível àqueles que creem."
Marcos 9:23

Você conhece a história do homem que tinha um filho possuído por um espírito maligno? Esse homem levou o filho aos discípulos de Jesus para que o espírito fosse expulso, mas eles não podiam. Quando Jesus veio, pediu que o menino fosse levado até ele. O homem pediu a Jesus para expulsar o espírito "se pudesse", e Jesus respondeu: "Se você pode crer, tudo é possível…". O homem gritou: "Creio; ajude minha incredulidade!". O homem tinha dúvida!

A maioria dos corações está cheia de incredulidade! Mas é possível convencer nosso coração a crer. Meditar na Palavra ativará áreas adormecidas do seu coração, e orar a Palavra fará você ouvir e crer. Declare o que Jesus já conquistou para sua vida com seu sacrifício na cruz. Declare que você já é abençoada. Não se canse de declarar até que seu coração se convença do alto preço que foi pago para beneficiá-la.

Haverá dias que não serão fáceis, pois seu coração resistirá, mas você precisa praticar até que isso se torne um hábito.

"Eu creio que posso tudo em Jesus."

ANOTAÇÕES

papo com Deus

02 MAIO

VIVA DE PRINCÍPIOS

"Confie no Senhor de todo o seu coração e não se apoie em seu próprio entendimento (...)"
Provérbios 3:5-6

"Viver pelos princípios da fé é construir uma vida sólida sobre o alicerce divino."

ANOTAÇÕES

Princípios são fundamentos que orientam a conduta de um povo, e especialmente do povo cristão. Hoje você terá clareza destes princípios:

Autogoverno: permita que Deus seja o governante supremo da sua vida. Renda-se às vontades Dele, encontre direção e propósito em Suas mãos.

Mordomia: tudo pertence a Deus; a sua responsabilidade é cuidar de seus dons e recursos com sabedoria.

Honra: reconheça a autoridade de Deus em sua vida.

Sabedoria: você alcançará lugares mais altos do que imagina e será capaz de tomar decisões sábias.

Amor: o verdadeiro amor é a base de nossa liberdade espiritual. Ele nos liberta do egoísmo e nos leva a viver em amor pelos outros.

Ao viver de acordo com esses princípios, você não apenas fortalecerá a sua fé, mas também será um testemunho de vida cristã. Apegar-se a esses fundamentos conduz a uma jornada de crescimento espiritual, alinhando nosso coração com o plano divino.

Catia Regiely

SEU AMOR DURA PARA SEMPRE

"Deem graças ao Senhor, porque ele é bom. O seu amor dura para sempre!"
Salmos 136:1

Isso é fabuloso! Uma verdadeira canção de reconhecimento da grandeza do Senhor e do seu grandioso amor. Toda a descrição do salmista demonstra o amor de Deus. Se você olhar para a pessoa de Jesus Cristo, poderá compreender esse amor persistente, imensurável e incondicional.

Em todos os momentos de nossa vida Ele demonstra o Seu amor. Se você está passando pelo deserto, Ele está lá com seu amor. Com sua mão forte Ele a tira do meio dos seus inimigos. Se você precisa atravessar o mar, Ele está lá para dividi-lo ao meio. Se você está fraca e cansada, com Seu grande amor é Ele quem a sustenta. O amor de Deus dura para sempre e é soberano, poderoso, justo e libertador!

Enxergue hoje a grandeza e a extensão do amor de Deus; não O veja com olhos da compreensão humana, que são limitados. O amor de Deus não tem limite. Ele é eterno!

"Alegrei o meu coração e louvei a Deus, porque a sua benignidade e o seu amor duram para sempre."

ANOTAÇÕES

04 MAIO

NÃO DESANIME

> "(...) somos perseguidos, mas não abandonados; abatidos, mas não destruídos."
> **2Coríntios 4:8-9**

Se o cansaço a domina, lembre-se de que Deus renova suas forças. Esse texto nos ensina claramente que podemos viver qualquer situação contrária, porém somos inabaláveis se temos a presença do Senhor em nossa vida. Somos pressionadas, perseguidas, abatidas, porém nada nos impedirá de continuar a nossa caminhada com Jesus. Ele nos anima, nos fortalece, nos restaura, nos reconstrói! É a presença Dele que nos faz levantar e prosseguir.

Portanto, se você está se sentindo desanimada, desesperada, abandonada ou até mesmo destruída, o Senhor é a sua resposta! Jesus é o único que preencherá esse vazio da sua alma. E está na hora de entender o seu verdadeiro tamanho, pois à medida que sua vida está nas mãos Dele, você se encontrará forte, grande, indestrutível! Jesus já venceu por você, na cruz, todas as tribulações!

Não desanime, você não está só. Cristo sempre virá em seu socorro.

> "Eu sou inabalável, pois minha vida está nas mãos de Jesus!"

ANOTAÇÕES

VIVA A VERDADE DE VERDADE

05 MAIO

"O Espírito do Senhor falou por meu intermédio; sua palavra esteve em minha língua."
2Samuel 23:2

Deus revela a verdade ao homem por meio de seu Santo Espírito. Nós não temos a capacidade de descobrir a verdade de Deus, a não ser que o Espírito Santo se revele a nós. Ele se revela para conhecermos ainda mais o Pai e caminhar com Ele. Sem o Espírito Santo não poderíamos aprender de Deus, pois a verdade divina escapa de nossa intelectualidade.

Deus se revela de muitas maneiras: por meio da criação, na consciência do homem, por meio das Escrituras e também por intermédio de pessoas que se dispõem a ser instrumentos abençoados nas mãos Dele.

O Espírito de Deus se revela na consciência do homem para conscientizá-lo de seu pecado. Porém, a plena revelação de Deus é Cristo, que nos anunciou toda a verdade que o Pai quer que a humanidade saiba sobre Ele.

"Viva a verdade de Deus: Jesus!"

ANOTAÇÕES

06 MAIO

VOCÊ AMA A DEUS?

> "Nem olhos viram, nem ouvidos ouviram, nem jamais penetrou em coração humano o que Deus tem preparado para aqueles que o amam."
>
> **1 Coríntios 2:9**

Amar a Deus sobre todas as coisas é o maior mandamento que Jesus nos deixou. Imagine tudo que você já viveu até aqui, todas as bênçãos já acessadas, sua família, amigos.

O que Deus preparou para aqueles que o amam é a obra da salvação por meio de Jesus Cristo, são as riquezas do Evangelho e das insondáveis riquezas de Cristo. Essa sabedoria de Deus, que é Jesus Cristo, só pode ser compreendida pela iluminação do Espírito Santo e é revelada àqueles que amam a Deus.

Declare o seu amor pelo Pai, ame-o e enxergue-o em todas as suas ações, em todas as pessoas com quem se relacionar no dia de hoje. E aproveite para transbordar essa mensagem na vida daqueles que você ama.

"Eu O amo, Pai, e a minha vida será para viver do seu amor!"

ANOTAÇÕES

TRAGA À EXISTÊNCIA OS SEUS PEDIDOS

07 MAIO

> *"Portanto, Eu lhes digo: Tudo o que vocês pedirem em oração, creiam que já o receberam, e assim lhes sucederá."*
> **Marcos 11:24**

Crer que já recebeu o que se está pedindo é imaginar. Aquele que tem fé imagina com certeza o que sua fé lhe proporciona. Jesus há milênios já afirmava que a imaginação é uma das forças mentais mais poderosas do ser humano. Não é possível separar a fé da imaginação.

Crie imagens de si mesma, de seus negócios, de sua profissão e aja como se já tivesse conseguido. Fé é o que se espera, mas não se vê; então pratique-a.

A imaginação é uma dádiva componente de nossa imagem e semelhança com Aquele que tudo criou.

"A imaginação eleva a minha fé e cria a minha realidade."

ANOTAÇÕES

08 MAIO

JESUS OFERECE ESPERANÇA

"Antes, santificai ao Senhor Deus em vossos corações; e estai sempre preparados para responder com mansidão e temor a qualquer um que vos pedir a razão da esperança que há em vós."

1Pedro 3:15

A passagem de Cristo pela terra deu novo tempero à nossa vida e nos trouxe esperança. Mas, afinal, por que Cristo nos oferece esperança? Porque Ele é nosso direcionador, porque Ele é quem nos sustenta, porque Ele se faz presente nos momentos mais difíceis de nossa vida. Ele estará lá quando seu casamento estiver abalado ou quando seus filhos estiverem doentes. Jesus estará presente quando a dor invadir o seu ser.

A esperança de estar com Jesus nos estimula a continuar a caminhada da vida cristã. Aproveite o dia de hoje para testemunhar. Fale para um amigo da grandiosa esperança que há em Cristo, conte a ele que nossa maior promessa é viver uma eternidade na doce presença de Jesus.

Faça isso agora mesmo.

"O justo viverá pela fé."

ANOTAÇÕES

FAÇA TUDO COM AMOR

09 MAIO

"Tudo o que fizerem, façam de todo o coração, como para o Senhor, e não para os homens."
Colossenses 3:23

Como você costuma realizar as coisas do seu dia a dia? Faz tudo por mera obrigação? Às vezes zangada e impaciente? Muitas vezes estamos insatisfeitas com situações em nossa vida, no trabalho, com a família, colegas e igreja. Às vezes a situação financeira não está favorável, e isso faz de nós pessoas amargas e insensíveis, nos tornando incapazes de manifestar o amor de Deus.

Fazer tudo com amor implica que aqueles que estão ao nosso redor consigam ver Deus por meio da nossa vida e das nossas atitudes. Jesus deixou um amplo legado de amor por onde passou, e precisamos continuar a fazer com amor tudo em nossa vida. Cabe a nós deixar esse amor fluir, apesar das dificuldades, frustrações e insatisfações.

Pense em alguém e deixe que ele veja o amor do Pai por seu intermédio.

"Reflita o amor que vem de Deus!"

ANOTAÇÕES

10 MAIO

TER SAÚDE É UMA GRANDE BÊNÇÃO

"O coração alegre serve de bom remédio, mas o espírito abatido virá a secar os ossos."
Provérbios 17:22

"Mente sã em corpo são."

ANOTAÇÕES

Um corpo saudável nos garante força e vitalidade suficientes para fazer todas as coisas de nossa vida; trabalhar, desfrutar a vida, é essencialmente servir aos propósitos de Deus. Como está sua saúde?

Muitas pessoas não entendem a importância de ter um corpo saudável. Em primeiro lugar, nosso corpo é o templo de Deus. Esse já é um ótimo motivo para ele ser bem cuidado. Você receberia uma pessoa que ama muito e a hospedaria se sua casa estivesse em farrapos? Imagino que não.

Aprenda a cuidar do seu corpo. Deus está aí e Ele merece habitar num lugar de honra. É preciso haver harmonia entre corpo, mente e espírito para que tudo funcione plenamente.

O que você fará ainda hoje para ter mais saúde? Atividade física? Alimentação saudável? Tempo de descanso?

Catia Regiely

AS MINHAS OVELHAS OUVEM A MINHA VOZ

11 MAIO

"Minhas ovelhas ouvem a minha voz; eu as conheço, e elas me seguem... Ninguém pode arrancá-las da mão de meu Pai."
João 10:27;29

Você sabia que as ovelhas são animais dóceis e que não têm defesa própria? Todos os outros animais têm algum tipo de defesa, como garras, dentes afiados, chifres, veneno. E sabe por que elas não têm esse sistema de defesa? Porque dependem inteiramente do seu pastor. Jesus diz que suas ovelhas ouvem a Sua voz e O seguem. Sabe o que é isso? Confiança. Jesus guia suas ovelhas, e elas o seguem. Sabe o que é isso? Obediência.

Nós, humanos, somos muito parecidos com as ovelhas; sozinhos não temos defesa própria. A ovelha que escuta a voz do pastor não se perde, mas encontra boa pastagem para repousar e descansar junto a Ele. Muitas vezes é difícil ouvir a voz do nosso verdadeiro pastor, que é Cristo. São muitos ruídos, muitas feridas que falam mais alto que a voz do nosso Mestre. Mas a voz do Senhor deve sempre prevalecer.

Ouça a voz que vem de dentro de você, ouça a voz do seu Pastor, que é Cristo!

"Eu ouço a voz do meu Pastor e me quebranto diante Dele!"

ANOTAÇÕES

12 MAIO

COMO AGIR EM UM MAU DIA?

> "Eu lhes falei tudo isso para que tenham paz em mim. Aqui no mundo vocês terão aflições, mas animem-se, pois eu venci o mundo."
>
> **João 16:33**

Como você age em um mau dia? Jesus pede que tenhamos ânimo, por mais difícil que seja. Se Ele venceu, nao será diferente conosco. O passo principal para ter ânimo em um mau dia é você estar totalmente dependente do Senhor e se posicionar como uma vencedora! Pois você já venceu!

Então, aproxime-se de pessoas que realmente a amam e estejam dispostas a agregar em sua vida. Acredite que esse mau dia passará, pois dependerá da maneira como você se comportará diante dele.

Lembre-se de que a Palavra já está liberada; Jesus já disse que você vencerá, assim como Ele.

"O que importa não é o mau dia, mas, sim, como eu ajo diante dele!"

ANOTAÇÕES

_____
_____
_____
_____
_____
_____
_____
_____

NÃO SE PREOCUPE

13 MAIO

"(...) Deus cuida de seus amados enquanto dormem."
Salmos 127:2

Filhos de pais prósperos não ficam preocupados com o alimento do dia seguinte. Eles estão certos de que se alimentarão, pois confiam na provisão. Você já percebeu que se preocupar com qualquer coisa não ajuda em nada, mas, pelo contrário, nos atrapalha?

Todos os dias, quando acordamos, temos muitas atividades para cumprir e precisamos de calma e tranquilidade. A preocupação é a ansiedade dando sinais de que você está pensando muito no futuro e deixando de viver o momento presente. O seu futuro depende de um presente bem vivido; portanto está na hora de aprender a vivê-lo de forma intencional.

Faça a sua parte com excelência, exerça a sua confiança em Deus, abra seu coração para receber a paz completa que vem Dele. Lance fora todas as preocupações que sobrevêm sobre sua mente e seu coração. E lembre-se de estar atenta quando a preocupação e a ansiedade estiverem batendo na porta do seu coração. Imediatamente, afirme: Deus me guarda e trabalha por mim.

"Eu acredito que Deus trabalha por mim, e agora sou uma pessoa totalmente despreocupada".

ANOTAÇÕES

14 MAIO

NOSSO CAMINHAR É DO SENHOR

> *"Entregue seu caminho ao Senhor; confie nele, e ele o ajudará."*
> **Salmos 37:5**

"Pai eu entrego tudo, tudo em tuas mãos!".

ANOTAÇÕES

Interessante quão simples é Deus. Muitas vezes ficamos com o coração aflito ou ansioso, mas será que de fato precisamos viver assim? Você tem lutado com as suas forças ou tem deixado Deus agir onde você não consegue mais? A entrega é essencial! Muitas vezes tentamos fazer do nosso jeito, mas chega uma hora que Deus nos pede para confiar Nele, para entregar-lhe nossos anseios e desafios diários.

Se houver uma entrega diária e verdadeira de nosso caminho para Ele, você verá que essa ansiedade diminuirá. Eu sei que entregar algo para Deus não é fácil, pois estamos saindo do controle de alguma situação, mas, todas as vezes que queremos estar no controle, mostramos a nossa arrogância e grandeza diante de Deus, subestimando a Sua soberania.

Então, todas as manhãs, faça a sua entrega e diga a Ele que você precisa de ajuda. Diga: Deus me guarda e trabalha por mim.

O SENHOR NOS DÁ DESCANSO

15 MAIO

"Venham a mim todos vocês que estão cansados e sobrecarregados, e eu lhes darei descanso."
Mateus 11:28

Jesus nos diz que não precisamos ser perfeitas para nos achegarmos a Ele, pois Ele nos aceita com todas as nossas fraquezas, sem fazer distinção e sem mil perguntas. Jesus sempre está convidando a todos que estão cansados, estressados, a encontrar Nele um descanso.

Muitas pessoas procuram a paz e o descanso da alma em vários lugares, como no dinheiro, em bebidas, amigos, remédios, fama, televisão, celular, compras; mas tudo isso é passageiro, nos traz apenas uma satisfação momentânea. Você já se sentiu cansada, estressada, sobrecarregada com as coisas da vida? São tantas coisas para carregarmos sozinhas, não são?

Experimente, hoje, ir até Jesus e aceitar o seu descanso, que é leve. Ele não nos quer perfeitas! Ele nos recebe imperfeitas para nos aperfeiçoar, nos socorrer e consolar nossa alma.

"No Senhor eu posso me achegar; mesmo imperfeita, Ele me aceita e me ama."

ANOTAÇÕES

_____
_____
_____
_____
_____
_____
_____
_____
_____

16 MAIO

DURMA SEM CULPA

"Quando for dormir, não sentirá medo; quando se deitar, terá sono tranquilo."
Provérbios 3:24

Salomão nos mostra que Deus nos traz conforto quando dormimos, mostrando que nada podemos temer ao repousar, pois Deus nos dá um sono tranquilo. Eu sei que muitas vezes você pode estar perdendo noites de sono, e, quando você dorme, tem um sono atribulado. Em consequência disso, acorda indisposta e vive um dia pesado. Porém, a lição de hoje é que não devemos ficar apreensivas com nada, pois Deus está no controle de todas as coisas.

Você está desfrutando de um sono tranquilo e consegue dormir como uma criança? Ao encerrar o dia, tenha o pensamento de que você concluiu tudo o que conseguiu fazer. Não se culpe por ter deixado algumas atividades para trás, porém comprometa-se a fazer diferente no dia seguinte.

Descanse e renove a sua energia física e mental, para que o dia seguinte seja realmente muito mais produtivo.

"Enquanto eu durmo, o meu Senhor renova minha energia e minha mente."

ANOTAÇÕES

ESTÁ CONSUMADO!

17 MAIO

"Tendo-o provado, Jesus disse: 'Está consumado!'. Com isso, curvou a cabeça e entregou o espírito."
João 19:30

Essa expressão, "Está consumado!", significa: está feito. Não há como voltar atrás; nada do que aconteça anulará esse fato; já está consumado, e nada mudará esse resultado.

Nesse texto temos a certeza de que todo o sofrimento de Jesus foi para nos salvar de todo pecado, culpa, castigo, rebeldia; mas também para nos curar de toda enfermidade. Ele tomou sobre si todas as nossas enfermidades! A cruz foi perfeita e sempre será! Isso nunca mudará, mas você precisa mudar e renovar a sua mente, acreditar e aceitar essa atitude de Jesus, e tomar posse da sua cura, pois ela já está lá na cruz, consumada! Você é curada! Você é vitoriosa! Declare isso em voz alta, acreditando no que diz.

De nada adiantará você apenas ter o conhecimento se não tomar posse da sua cura e continuar aceitando os desafios, em vez de declarar a dívida paga! Você já tem a sua vitória; tome posse dela hoje!

"A partir da Cruz, eu sou vitoriosa!"

ANOTAÇÕES

18 MAIO

A CADA DIA UM NOVO COMEÇO

> *"Pela fé, Abraão obedeceu quando foi chamado para ir à outra terra que ele receberia como herança. Ele partiu sem saber para onde ia."*
> **Hebreus 11:8**

Nessa experiência pessoal com Deus, Abraão ouviu algo muito interessante: "Sai da tua terra e da tua parentela para um lugar que mostrarei a você!". Abraão foi desafiado por Deus para ir! Mas para onde? Deus não deu um endereço certo para ele na mesma hora! Abraão precisou confiar! Para obedecer, Abraão precisou acreditar na pessoa de Deus como Aquele que direcionava sua vida.

Todos os dias, pela manhã, começamos uma nova caminhada. Assim como Abraão não sabia qual o endereço de sua terra, não sabemos, muitas vezes, como terminaremos nosso dia. Você já começou um dia pensando em ir para um lugar e terminou seu dia em outro totalmente diferente? Todos os dias temos uma nova caminhada na vida.

Aproveite para, durante todo o seu dia de hoje, enquanto realiza suas atividades, lembrar-se do amor de Deus por você e de que Ele escolheu caminhos maravilhosos para sua vida.

"Coloque seus dias nas mãos de Deus."

ANOTAÇÕES

Catia Regiely

VOCÊ É PROVIDO

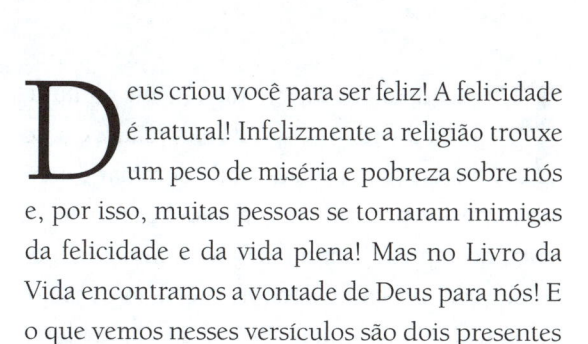

19 MAIO

"(...) Cada um deve comer e beber e desfrutar os frutos de seu trabalho, pois são presentes de Deus."
Eclesiastes 3:12-13

Deus criou você para ser feliz! A felicidade é natural! Infelizmente a religião trouxe um peso de miséria e pobreza sobre nós e, por isso, muitas pessoas se tornaram inimigas da felicidade e da vida plena! Mas no Livro da Vida encontramos a vontade de Deus para nós! E o que vemos nesses versículos são dois presentes que Deus nos quer dar: ser feliz e desfrutar os frutos de nosso trabalho.

Frequentemente nos perguntamos: "Será que Deus quer me ver feliz?". Pensamos assim por desconfiarmos do amor de Deus por nós. Enxergamos Deus como um pai severo e maldoso, pronto para nos punir. Mas a realidade é outra! Ele quer ver nossa prosperidade plena todos os dias!

Qual é a nossa fé em relação à abundância de Deus em nossa vida? Declare prosperidade plena de Deus em sua vida! Declare que os presentes que o Pai tem para você chegarão às suas mãos!

"Que o medo e a incredulidade, que afastam você do plano perfeito de Deus, soltem seu coração agora!"

ANOTAÇÕES

20 MAIO

ESPERANÇA E ÂNIMO

"Quando a ansiedade já me dominava no íntimo, o teu consolo trouxe alívio à minha alma…"
Salmos 94:19

"Não resolvo nada nas minhas forças; confio em Deus e na Sua força."

ANOTAÇÕES

Esse texto nos mostra uma mente confusa, com dúvidas e cheia de ansiedade. Como vemos, a ansiedade pode dominar e controlar nossos pensamentos, atitudes e até a nossa vida, nos aprisionando em nossas emoções. Porém, quando está no Senhor, você tem consolo, esperança e alívio, pois Ele é o seu ajudador e sua força. Cuide da sua saúde mental, para que as dúvidas do mundo não venham desencadear gatilhos que a fazem sofrer por antecipação.

Ansiedade é excesso de futuro e pouco de presente. O amanhã não existe; Deus nos deu de presente o dia de hoje, e ele não se chama "presente" à toa, mas insistimos em perder o nosso tempo em fatos que ainda não aconteceram ou nem acontecerão. Valorizar o presente é animar-se em Deus e em seus planos. É confiar que esse dia foi preparado por Suas mãos e que Ele sabe tudo o que precisamos.

Nesse texto o salmista está ansioso e pede socorro a Deus. Ele está sofrendo com tudo à sua volta, porém não tenta sair da ansiedade por suas forças, mas reconhece que apenas o Senhor pode livrá-lo.

Catia Regiely

ASSIM COMO...

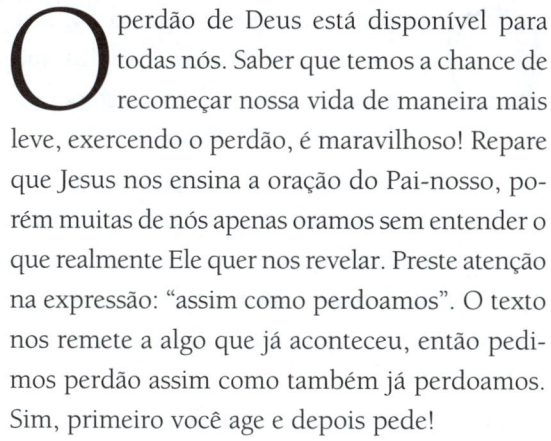

21 MAIO

"Perdoa as nossas dívidas, assim como perdoamos aos nossos devedores."
Mateus 6:12

O perdão de Deus está disponível para todas nós. Saber que temos a chance de recomeçar nossa vida de maneira mais leve, exercendo o perdão, é maravilhoso! Repare que Jesus nos ensina a oração do Pai-nosso, porém muitas de nós apenas oramos sem entender o que realmente Ele quer nos revelar. Preste atenção na expressão: "assim como perdoamos". O texto nos remete a algo que já aconteceu, então pedimos perdão assim como também já perdoamos. Sim, primeiro você age e depois pede!

Decida agora parar de carregar pessoas, situações ou quaisquer problemas em suas costas que não pertencem a você. Perdoar é uma decisão de se libertar de todas as correntes que a prendem para viver uma vida próspera em todas as áreas.

Se você acorda todas as manhãs com esse peso que a falta de perdão traz, estou compartilhando o caminho para que alcance a paz que está buscando, e ela está em Jesus!

"Não perdoar é tomar um cálice de veneno todos os dias, esperando que a outra pessoa morra."

ANOTAÇÕES
_____
_____
_____
_____
_____
_____
_____
_____
_____
_____

22 MAIO

> *"O orgulho do homem o humilha, mas o espírito humilde obtém honra."*
> **Provérbios 29:23**

DEIXE O ORGULHO DE LADO

O texto nos diz que o orgulho faz com que sejamos humilhadas; perceba que, quando deixamos de fazer algo por orgulho, não temos alegria nem paz! Isso inclui o ato de pedir perdão, ou seja, não pedimos perdão por acreditar que estamos em nossa razão e que somos "melhores" que o outro. Porém ficamos aprisionadas a essas pessoas por toda uma vida! Em contrapartida, aprendemos que os humildes obterão honra.

Se você ainda está se sentindo presa a alguém, talvez seja porque precisa deixar o orgulho de lado e pedir perdão. O que faz você não pedir perdão ou perdoar chama-se orgulho! Você pode até falar: "mas eu estou certa", "eu estou na minha razão". Mas está permitindo ser vencida por ele. Decida agora subir mais um degrau rumo a sua liberdade e ser humilde para pedir perdão.

Pedir perdão é libertador! Você sentirá um grande alívio em sua alma!

"Pedir perdão é dizer SIM para a vida!"

ANOTAÇÕES
_____
_____
_____
_____
_____
_____
_____
_____

AUTOPERDÃO

> *"Nele temos a redenção por meio de seu sangue, o perdão dos pecados, de acordo com as riquezas da graça de Deus."*
> **Efésios 1:7**

Por meio do sangue de Jesus somos perdoadas de todos os nossos pecados; essa é a chave que nos liberta de todo sentimento de culpa e amargura. Pois são os pecados os principais responsáveis pelas travas que nos impedem de avançar. Então este é o momento de perdoar! O que você fez no seu passado que até hoje traz consigo a culpa, a amargura e a frustração? Traição? Separação? Morte?

O autoperdão é o processo mais difícil, porém se tornará muito leve a partir do momento em que você entender o que esse texto diz. Observe que: "Nele temos a redenção e o perdão dos pecados"; esse texto nos explica que já temos o maior perdão. A única coisa de que você precisa é aceitar esse perdão, e então certamente você conseguirá se perdoar. Agradeça ao Senhor Jesus, que já pagou o preço e já a perdoou por Seu sangue derramado na cruz.

Quando você não consegue se perdoar, automaticamente está negando a obra da cruz. Aceite o Seu perdão e perdoe-se hoje!

"Em Jesus temos a redenção e o perdão dos pecados."

ANOTAÇÕES

24 MAIO

MEDO: A FÉ NEGATIVA

"O que eu sempre temia veio sobre mim, o que tanto receava me aconteceu."

Jó 3:25

Jó confessou que tudo de que ele mais tinha medo veio sobre ele. Se você conhece a história de Jó, sabe que ele perdeu filhos, amigos, bens, enfim, tudo o que ele havia conquistado durante a vida. Jó tinha medo de perder tudo. E você, do que tem medo? O medo é uma emoção que geralmente nos impede de realizar projetos e sonhos, porém também traz a existência, o que ainda não existe, de maneira negativa.

Assim como aconteceu com Jó, você pode reverter os seus medos e começar a atrair aquilo que realmente deseja que aconteça na sua vida. Inúmeras vezes lemos na Bíblia a expressão "Não temas", pois Deus nos ensina que não devemos sentir medo, e sim ter fé!

A energia que você dispensa sentindo medo ou fé é a mesma, mas agora você tem a consciência de que uma é negativa e a outra é positiva. E de que você pode escolher qual exercitar todos os dias. E então começar a trazer à existência os seus sonhos, projetos e conquistas.

"O medo não tem poder sobre a minha vida, pois eu governo as minhas emoções!"

ANOTAÇÕES
_____
_____
_____
_____
_____
_____
_____
_____

COMO TER A MENTE DE CRISTO

25 MAIO

"Quem conhece os pensamentos do Senhor? Quem sabe o suficiente para instruí-lo? Mas nós temos a mente de Cristo."
1Coríntios 2:16

Quando declaramos que somos cristãs, estamos dizendo que somos seguidoras de Cristo, ou seja, conhecemos a Ele e a Sua Palavra em relação ao agir do Espírito Santo. Porém não são todas as pessoas que têm a mente de Cristo, porque há uma diferença entre o homem natural e o homem espiritual.

Para você ter a mente de Cristo de fato, é preciso discernir o que é do espírito e o que é da carne. O homem natural está ligado às coisas deste mundo, enquanto o homem espiritual entende que está apenas de passagem e que pertence ao céu. O primeiro passo para que você tenha a mente de Cristo é nascer de novo, aceitando Jesus como seu Senhor, e o próximo passo é se alimentar da Sua Palavra para conhecê-lo profundamente.

Acorde todos os dias de manhã e contemple a Sua Palavra, estude e peça direção ao Espírito Santo, pois Ele a fará ser espiritual e ter a mente de Cristo.

"Quanto mais conheço Cristo, mais tenho a Sua mente!"

ANOTAÇÕES

26 MAIO

VOLTE AO PRIMEIRO AMOR

> *"Contudo, tenho contra você uma queixa: você abandonou o amor que tinha no princípio."*
> **Apocalipse 2:4**

"O primeiro amor é o único lugar a que você pode voltar!"

ANOTAÇÕES

Quero chamar a sua atenção neste texto: o Senhor estava falando com a igreja de Éfeso, dizendo que eles tinham abandonado o primeiro amor. Lembra quando você estava no início do seu relacionamento, quando tudo era lindo e você não parava de pensar no seu amor? Porém, com o passar do tempo, esse amor esfriou. É exatamente disso que o Senhor está se queixando.

Nós o conhecemos e vivemos dias maravilhosos em Sua presença. O tempo foi passando e nós nos distanciamos, fazendo esse primeiro amor esfriar. O Senhor nos chama de volta à origem, ao princípio de todas as coisas, para que possamos reencontrá-lo e viver experiências sobrenaturais com o Seu amor. Ele quer nos proporcionar essas experiências todos os dias, mas, com toda a correria do nosso dia a dia, só nos lembramos Dele no momento em que nos deitamos na cama para dormir.

Hoje você pode voltar ao primeiro amor e escolher alimentá-lo todos os dias por intermédio da Palavra e das experiências com o seu Pai. Ele está à sua espera!

Catia Regiely

APRENDA A DEPENDER DE DEUS

27 MAIO

"O Senhor é bom para os que dependem Dele, para os que o buscam."
Lamentações 3:25

O conceito da palavra "depender", conforme o dicionário, é estar na dependência de; estar sujeito ou subordinado; estar sob domínio, autoridade ou influência de alguém. Quando dependemos de pessoas, ficamos decepcionadas, mas o Senhor é o único que estará sempre ao seu lado.

De quem você depende? Para depender do Senhor é preciso buscá-lo incessantemente. A nossa prioridade deve ser o relacionamento verdadeiro com o Pai, e todas as outras coisas Ele nos dará. O versículo diz que Ele é bom para quem O busca e depende Dele.

Pare de buscar a Deus para alcançar algo material; ao contrário disso, busque pelo que Ele é, para conhecê-lo em sua essência, até que você se veja na total dependência do Senhor, deixando em Suas mãos todo o domínio de sua vida. E assim você perceberá que não precisa depender de ninguém, pois Ele é quem a direciona em todas as decisões, passos e pensamentos.

"Para depender do Senhor é preciso buscá-lo de maneira incessante."

ANOTAÇÕES

28 MAIO

"Farei de você uma grande nação, o abençoarei e o tornarei famoso, e você será uma bênção para outros."
Gênesis 12:2

"Eu aceito o teu chamado, e amplio hoje a minha tenda!"

ANOTAÇÕES
_____
_____
_____
_____
_____
_____
_____
_____

AMPLIE SUA TENDA

Abraão tinha promessas de Deus, porém ele vivia no meio de pessoas que não praticavam os mesmos princípios. O ambiente de Abraão não ajudava, e ele precisava partir para que então conseguisse viver as promessas do Senhor. Em nossa vida é assim também! Muitas vezes nós travamos por causa do ambiente em que estamos e de pessoas com quem nos relacionamos.

Abraão não sabia para onde iria, mas simplesmente obedeceu. Hoje é conhecido como o pai da fé e viveu todas as promessas que Deus tinha para ele. O ambiente é um fator importante para o seu desenvolvimento, e as pessoas que a cercam, também; por isso, é dia de rever e traçar uma nova rota na sua vida.

Mude os ambientes que frequenta, e se preciso mude de casa, de cidade, de estado ou até de país, mas, se o problema forem as pessoas, mude também seus comportamentos, pensamentos e atitudes. Coloque uma energia diferente nesses relacionamentos e veja que automaticamente você começará a ter outros resultados.

COMO TER UMA FÉ INABALÁVEL

29 MAIO

"Pois todos que pedem, recebem. Todos que procuram, encontram. E, para todos que batem, a porta é aberta."
Mateus 7:8

Esse texto vem diretamente trabalhar com o nosso coração, pois a mensagem é muito clara quando entendemos que precisamos agir. Pedir, procurar e bater! São palavras de ação, ou seja, precisamos pedir para receber, procurar para encontrar e bater para a porta se abrir. Para isso precisamos de uma das ferramentas mais poderosas, que é a ORAÇÃO, ou seja, **ORAR + AÇÃO**! É por intermédio dela que alimentamos uma fé inabalável.

Fé é a ação de acreditar naquilo que não vemos, porém o Senhor nos promete os resultados que teremos se agirmos da maneira como Ele nos ensina. A Palavra de Deus é muito clara e direta, mas muitas vezes preferimos ficar na dúvida sobre algo, sobre acreditar, de fato, em Sua Palavra.

Hoje, experimente pedir acreditando que já recebeu! Experimente procurar como se já tivesse encontrado! Experimente bater e veja a porta se abrindo!

"Fé é a ação de acreditar naquilo que não vemos."

ANOTAÇÕES

30 MAIO

SEJA FEITA A SUA VONTADE

> "Venha o teu reino. Seja feita a tua vontade, assim na terra como no céu."
> **Mateus 6:10**

"A vontade de Deus para nós é sempre a melhor opção."

ANOTAÇÕES

Jesus nos ensinou essa oração porque Ele também aprendeu que a vontade do Pai tem de ser feita. Tudo o que Jesus passou, Ele nos ensina a fazer igual. Ele orou a Deus no momento mais difícil da sua vida, pouco antes de sua crucificação. Ele suou sangue. Isso acontece devido ao nível de estresse pelo qual o corpo passa, uma dor incomparável; mesmo assim Ele disse: "que seja feita a tua vontade".

Muitas vezes ficamos chateadas, bravas e até iradas com Deus porque aconteceu algo diferente do que desejávamos. Porém, esquecemos de entregar tudo em Suas mãos e deixar que a vontade Dele seja feita. Entenda que tudo vem Dele, tudo é por Ele e para Ele, e, a partir do momento em que pedimos que seja feita a sua vontade, o melhor acontece, mesmo que no momento pareça que não.

A vontade de Deus é sempre a melhor, mas você tem de fazer a sua parte, assim como Jesus fez. Olhe para Ele na cruz; será que foi fácil?

Catia Regiely

ORE SEM CESSAR

31 MAIO

"Nunca deixem de orar."
1 Tessalonicenses 5:17

A oração é a arma mais poderosa que temos para nos conectar com Deus e também para conseguir que os nossos sonhos sejam realizados. Tanto espiritualmente quanto cientificamente, a oração nos mostra que temos o poder em nossas mãos, porém não sabemos como usá-la, ou então nem a usamos.

Quanto tempo você dedica para as suas orações? Geralmente praticamos nossas orações pouco antes de dormir, pois pela manhã o dia começa sempre muito corrido. Quando entendi isso, comecei a acordar um pouco mais cedo, para dedicar os primeiros minutos do meu dia ao Senhor. Se você acordou para um novo dia, é porque o amor Dele foi renovado, e nada melhor que ser grata por isso.

Quero encorajá-la a fazer isso a partir de hoje, e você verá como a sua vida será mais leve, mais produtiva e assertiva se construir o hábito de orar diariamente.

"Somente a oração me leva ao Seu encontro para sentir o Seu amor em minha vida."

ANOTAÇÕES
_____
_____
_____
_____
_____
_____
_____
_____
_____

JUNHO

SEJA UMA PESSOA INCONFORMADA

01 JUN

> "E não vos conformeis a este mundo, mas transformai-vos pela renovação da vossa mente (...)"
> **Romanos 12:2**

Ser inconformada com os pensamentos e comportamentos mundanos e também em relação àquilo que nos deixa cansadas e infelizes em nossa vida faz com que busquemos formas de mudar e começar a viver a boa, perfeita e agradável vontade de Deus. A mudança vem de dentro para fora, e somente assim podemos desfrutar da vontade de Deus.

Com que área da sua vida você precisa se inconformar para mudar? Busque renovar a sua mente com mais tempo de intimidade com Deus, mais leitura da Bíblia, mais autoconhecimento. Construa crenças que levarão você à transformação ideal para alcançar a boa, perfeita e agradável vontade de Deus.

Entenda que, por mais problemas que você tenha, nada é impedimento para que viva essa promessa; porém está na hora de se inconformar e renovar a sua mente em Deus, derramando-se em seu relacionamento com Ele.

> "Minha mente está renovada para viver a boa, perfeita e agradável vontade de Deus."

ANOTAÇÕES

02 JUN

APOIE-SE EM JESUS

"Confie no Senhor de todo o coração; não se apoie em seu próprio entendimento."
Provérbios 3:5

Quando você se apoia em algum objeto, perde totalmente o equilíbrio, correndo o risco de cair. Da mesma forma ocorre quando nos apoiamos em nosso entendimento: perdemos a estabilidade no Senhor e ficamos vulneráveis às situações contrárias em nossa vida.

Confiar no Senhor é acreditar que todo o entendimento vem Dele! Muitas vezes entregamos nosso relacionamento ao Senhor, mas e se algo sai diferente? Acabamos desistindo e tomando nossas próprias atitudes conforme o nosso entendimento, e que muitas vezes são equivocadas.

Quando nos apoiamos em nosso entendimento, acabamos nos arrependendo, gerando brigas no relacionamento, conflitos com familiares, no trabalho, etc.

Busque, então, sempre pedir direção ao Espírito Santo, obedecendo ao que Ele lhe diz. Não faça nada sem pedir essa direção, não se apoie em algo que possa romper ao meio e fazer você cair.

"Confiar no Senhor é acreditar que todo o entendimento vem Dele!"

ANOTAÇÕES

PROTEGIDA

03 JUN

"Mesmo quando eu andar pelo escuro vale da morte, não terei medo, pois tu estás ao meu lado. Tua vara e teu cajado me protegem."
Salmos 23:4

O que tem afligido a sua alma? O salmista afirma que, mesmo estando no vale da morte, não devemos temer, pois somos protegidas pela vara e pelo cajado do Senhor.

A vara simboliza o Pai, aquele que corrige a criança, protegendo-a de fazer algo de errado. E o cajado simboliza o Pastor, aquele que zela pelas ovelhas com amor, protegendo-as dos inimigos que se aproximam.

É por isso que não devemos temer em nenhum momento, pois Ele está do nosso lado nos protegendo de todo mal que possa querer nos abater. Davi tinha acabado de sofrer um atentado de morte por parte de seus próprios irmãos, mas ele não temeu, porque sabia quem estava ao seu lado, protegendo-o e cuidando dele.

Convido você a fechar os olhos e sentir essa proteção que Deus tem disponível neste dia! Entregue seus medos e suas preocupações ao único que pode guardá-la dessa maneira e sinta essa proteção plena em sua vida.

"A proteção do Senhor já está disponível a você; não tenha medo!"

ANOTAÇÕES

04 JUN

CURA DA ALMA

"Por que você está tão abatida, ó minha alma? Por que está tão triste? Espere em Deus! Ainda voltarei a louvá-lo, meu Salvador e meu Deus!"
Salmos 42:11

O salmista estava com uma dor profunda na alma; certamente naquela época não se conhecia a tão famosa doença do século: a depressão. A sua origem é totalmente emocional, é uma dor que vem da alma. Você se sente ou já se sentiu assim?

Neste texto aprendemos que podemos, sim, conversar com a nossa alma e entender de onde vêm nossas aflições. Com base nisso, desafio você a conversar com a sua alma e buscar de si a resposta que precisa para tão grande angústia.

O Espírito Santo de Deus lhe mostrará o motivo de tanta aflição, e você perceberá então que algo do passado ainda persegue seus dias.

A depressão é excesso de passado, e enquanto você ficar nesse lugar não conseguirá viver o presente! O seu passado não define a sua essência, ele não é a sua morada. Ele já passou, e a partir de agora decida olhar para a frente e viver dias mais felizes.

"Por que está abatida, minha alma? Confie Nele e O louve!"

ANOTAÇÕES

EU ANDAREI EM LUGARES ALTOS

05 JUN

> "(...) O Senhor Soberano é minha força! Ele torna meus pés firmes como os da corça, para que eu possa andar em lugares altos."
>
> **Habacuque 3:17-19**

Nesse texto o profeta estava declarando algo muito forte; ele disse que, mesmo faltando tudo, ele se alegraria no Senhor, pois é Ele a força que o sustenta e o faz andar nos lugares altos. O profeta sabia exatamente com quem ele andava e quem ele era. Tinha consciência de que andaria em lugares altos.

Como você age diante de um problema? Como seria o seu comportamento se você não tivesse alimento em sua mesa, se faltasse trabalho ou cliente, ou então se algum familiar morresse?

Os nossos problemas não podem determinar os nossos comportamentos, principalmente o nosso destino. Eles devem apenas ser um degrau para nos dar certeza de que o Senhor é a nossa força, mas devemos nos alegrar sempre Nele, independentemente de qualquer circunstância.

Pode tudo acabar, mas Ele permanecerá! Pode tudo dar errado, mas Ele não mudará!

Se você tiver essa certeza no seu coração, nunca mais se abaterá por causa das circunstâncias e terá o seu coração mais grato e alegre.

> "Eu me alegro em Ti, pois sei que posso andar em lugares altos."

ANOTAÇÕES

06 JUN

VOCÊ NÃO É UMA ILHA

> "Se um cair, o outro o ajuda a levantar-se. Mas quem cai sem ter quem o ajude está em sérios apuros."
>
> **Eclesiastes 4:10**

Como estão os seus relacionamentos, as suas amizades ou o seu casamento?

Salomão nos ensina a não andar sozinhas. Você não foi criada por Deus para viver sozinha. Precisamos de pessoas ao nosso lado, de amigos verdadeiros nos ajudando a levantar quando estivermos no chão. Mas também precisamos ser o canal que ajudará o outro a se levantar.

Os relacionamentos saudáveis nos fazem caminhar, mas principalmente nos levantar quando caímos.

Aquele que está sozinho, sem ninguém para ajudá-lo, em breve se encontrará em apuros. Se você hoje se encontra nessa situação, procure acertar os seus relacionamentos e viver cercada de amigos. Não feche as portas da sua vida, pois é isso que faz a falta de relacionamentos, de amizades, de pessoas queridas ao nosso lado.

Para viver a promessa de ter sempre alguém pronto para levantá-la quando estiver caída, é preciso que você tenha relacionamentos verdadeiros e saudáveis. Juntas somos mais fortes.

"Conexões saudáveis nos fazem caminhar."

ANOTAÇÕES

TUDO É PARA O MEU BEM

07 JUN

> "E sabemos que Deus faz todas as coisas cooperarem para o bem daqueles que o amam e que são chamados de acordo com seu propósito."
>
> **Romanos 8:28**

Todas as coisas, e não apenas algumas! Isso quer dizer que tudo o que acontece com você, de certa forma, é para o seu bem. Quando passamos por problemas, enfermidades, angústias, não conseguimos enxergar que bem aquilo nos fará, mas até a doença traz recados para o nosso bem. E geralmente não estamos atentas a isso.

Fomos criadas para um propósito, e diante dele vivemos experiências que nos forjarão para cumpri-lo. E por isso precisamos ter a certeza em nosso coração de que tudo o que vivemos nos levará a ele. Independentemente da experiência, ela será para o nosso bem, testemunharemos nosso crescimento através de cada uma delas.

Tudo coopera para o seu bem, porque você aprende, cresce e amadurece. Tudo coopera para o seu bem, porque você se levanta como alguém que tem certeza de que cumprirá o seu propósito, assim como Jesus cumpriu, independentemente do que possa lhe acontecer.

Reflita sobre todas as suas experiências e encontre o propósito para cada uma delas.

"Tudo coopera para o meu bem, conforme o Seu propósito."

ANOTAÇÕES

08 JUN

> *"'Porque eu sei os planos que tenho para vocês', diz o Senhor. 'São planos de bem, e não de mal, para lhes dar o futuro pelo qual anseiam'."*
>
> **Jeremias 29:11**

O SENHOR REALIZA SONHOS

Em outras versões está dizendo "para lhes dar o que desejam". Deus tem pensamentos de paz a nosso respeito. Ele nos dá aquilo que desejamos. Deus nos deixa livres para desejar e sonhar. Se você não sonha mais, este é o momento! Você está autorizada!

Fazendo uma analogia, pense em seus filhos; se não tem filhos, pense em alguém que tenha. O desejo do pai é sempre realizar o sonho de seus filhos! O pai tem os melhores pensamentos a respeito do filho e atende aos seus pedidos e desejos, independentemente de que seja de sua vontade. Por exemplo, se o seu filho deseja fazer uma faculdade de engenharia, mas sua vontade é que ele faça medicina, certamente você concederá o que ele deseja, para ajudá-lo a realizar esse sonho.

Portanto, não tenha medo de sonhar! O Senhor, que é o seu Pai, concederá todos os seus sonhos.

"O desejo do pai é sempre realizar o sonho de seus filhos!"

ANOTAÇÕES
_____
_____
_____
_____
_____
_____
_____
_____

Catia Regiely

ALIMENTE SUA FÉ

09 JUN

"De sorte que a fé vem pelo ouvir, e ouvir pela Palavra de Deus."
Romanos 10:17

Nossa vida é muito corrida, e acabamos muitas vezes não dando certa prioridade para meditar na Bíblia. Ocorre que depois de algum tempo nos sentimos cansadas, cheias de problemas e desanimadas, sem saber como encontrar as devidas soluções. Você tem se sentido assim?

Na verdade, quando estamos nesse estado, costumamos ouvir ruídos, barulhos, como: "Você não vai conseguir! Desista! Isso não está com nada!".

Este é o momento de começar a prestar atenção nos sinais e parar de ouvir esses ruídos de sua mente! Comece se dedicando a alimentar o seu Espírito para que tenha a sabedoria divina, que fará parte dos seus dias. Assim, mesmo que seu dia seja corrido, você saberá como resolver cada problema que surgir.

Sua ação, agora, deve ser ouvir a Palavra e assim alimentar e aumentar a sua fé.

"Alimente sua fé diariamente."

ANOTAÇÕES

10 JUN

SUA FAMÍLIA É MAIS IMPORTANTE

"Jesus, porém, não permitiu e disse: 'Volte para sua casa e para sua família e conte-lhes tudo que o Senhor fez por você e como ele foi misericordioso'."

Marcos 5:2-13

"Faça da sua família sua prioridade."

ANOTAÇÕES

Nessa história está contido o nosso propósito de vida, uma chave poderosa para transformar toda a sua vida. Depois de Jesus libertar daquela legião de demônios o homem que havia muitos anos estava endemoniado, ele estava tão feliz e grato que pediu para Jesus deixá-lo ir com Ele. E a resposta de Jesus foi: "Volte para a sua casa e para a sua família…".

A atitude de Jesus nos mostra que o homem curado não estaria cumprindo o maior princípio que Deus instituiu: a família. Você consegue imaginar quanto tempo aquele homem não desfrutava de sua família por estar possuído por demônios?

A primeira coisa que aquele homem tinha de fazer era dar um abraço em sua família e recompensá-la pelo tempo perdido. Jesus sabia disso!

A nossa família é o mais importante. Se a sua casa não estiver cuidada, como pensa que cuidará do que está fora? Somos conhecidos e seguidos pelo nosso exemplo; decida curtir sua família primeiro, cuidar dela e amá-la.

UMA NOVA EXISTÊNCIA

11 JUN

"Bendito seja o Deus e Pai de nosso Senhor Jesus Cristo! (...)"
1 Pedro 1:3

A palavra "regenerou" vem do termo "genética". Na ressurreição de Cristo, você teve a chance de ter um novo DNA, pois o sangue Dele está correndo em suas veias.

No dicionário encontramos vários significados para "regenerar": dar nova existência; reconstituir; reabilitar. É maravilhoso saber que temos uma nova existência, que somos reabilitados para uma nova vida.

Você consegue ver que, a partir do momento em que crê e reconhece essa obra tão linda, você pode desfrutar de um novo DNA?

É isso mesmo, o seu sangue agora é o mesmo sangue de Jesus! Ele está em você, com o sangue Dele, dando-lhe uma nova existência totalmente reconstruída e reabilitada para viver o Reino de Deus.

Se ainda não teve essa oportunidade, mas crê que Jesus morreu por você, e que está de fato tudo consumado, então declare em voz alta: Eu creio e reconheço que Jesus é o meu único e suficiente Senhor e Salvador da vida.

"Eu creio e reconheço que Jesus é o meu único e suficiente Senhor e Salvador da minha vida."

ANOTAÇÕES

12 JUN

"Não se perturbe o coração de vocês. Creiam em Deus; creiam também em mim."
João 14:1

"Jesus é o único caminho seguro."

ANOTAÇÕES

CREIA NOVAMENTE

Sabendo que seu tempo nesta terra estava se esgotando, Jesus passou a dar todas as instruções aos seus discípulos para que eles não ficassem perdidos, pois passariam por muitas provações e desafios depois da sua morte.

Jesus nos diz para não nos preocuparmos nem nos estressarmos, pois sempre que nos preocupamos fazemos isso sem ao menos ter acontecido algo; ou, pior, nos preocupamos e nem sabemos se vai acontecer ou não. Muitas vezes é uma preocupação infundada.

Ele nos ensina que, crendo Nele e no Pai, podemos ter nosso coração livre de toda preocupação e estresse. Muitas vezes nos perturbamos e nos esquecemos de crer em Deus e em Seu filho.

Quantas pessoas foram curadas por Jesus porque acreditaram Nele? Todas! E você está aí, se estressando, com a mente completamente perturbada. Você só precisa crer que Ele pode retirar de seu coração toda perturbação!

Catia Regiely

TENHA PAZ AO DEITAR-SE

13 JUN

"(...) Os discípulos o acordaram, clamando: 'Mestre, vamos morrer! O senhor não se importa?'."
Marcos 4:37-38

Aqui vemos Jesus e seus discípulos em uma jornada pelo lago da Galileia, quando uma forte tempestade veio sobre eles. O interessante é ver Jesus dormindo enquanto os discípulos estavam desesperados! Para os discípulos era impossível, para Jesus era algo simples e comum, dormir com tranquilidade mesmo diante de uma tempestade.

Todos os dias entramos em um barco chamado vida. E, como sabemos, existem tempestades no mundo. Como elas têm nos afetado? Será que as tempestades têm nos deixado desesperadas como os discípulos ficaram ou estamos em paz como Jesus?

Você está vivendo alguma tempestade de tirar o sono?

Você sabe por qual motivo Jesus dormia tranquilo mesmo em meio à tempestade?

Tenha plena convicção do amor de Deus e declare que nada atormentará seu coração e tirará seu sono e sua alegria de dormir em paz! E que você não temerá as tempestades; não sentirá desespero, mas experimentará os milagres de Deus, assim como Jesus experimentava!

A partir de hoje você não perderá nenhum dia de sono por causa de preocupações!

"Creia no amor de Deus e declare que nada atormentará seu coração."

ANOTAÇÕES
_____
_____
_____
_____
_____
_____
_____
_____
_____

14 JUN

SUAS ASAS, MEU ABRIGO

"Ele o cobrirá com as suas penas e o abrigará sob as suas asas; a sua fidelidade é armadura e proteção. Não tenha medo dos terrores da noite, nem da flecha que voa durante o dia."

Salmos 91:4-5

"Em paz me deito e logo durmo!"

ANOTAÇÕES
_____
_____
_____
_____
_____
_____
_____
_____

Você já viu uma galinha juntando seus pintinhos debaixo das penas para os proteger? No texto do livro de Salmos temos uma referência semelhante: a de Deus nos escondendo debaixo de suas penas, como uma galinha faz.

É verdade que a galinha tem suas fragilidades, e um animal mais forte pode retirar dela a proteção e os filhotes. Porém, como filhos de Deus, estaremos seguros debaixo do cuidado Dele, pois quem é mais forte que Deus para nos tirar de Sua proteção? Ninguém!

É por isso que o texto nos diz: "Não tenha medo do terror noturno!", ou seja, não tenha medo das ações malignas que tentam nos tirar o sono.

Tome posse da proteção de Deus, pois Ele nos livra dos terrores noturnos. Diga em voz alta: "Jesus, acredito em Sua autoridade sobre minha vida. Profetizo que toda obra de medo e opressão caia por terra em minha vida".

Catia Regiely

NÃO PRECISA TER MEDO

15 JUN

> "(...) Sim, o Senhor ouviu o meu pedido desesperado e me disse: 'Não precisa ter medo'."
>
> **Lamentações 3:55-57**

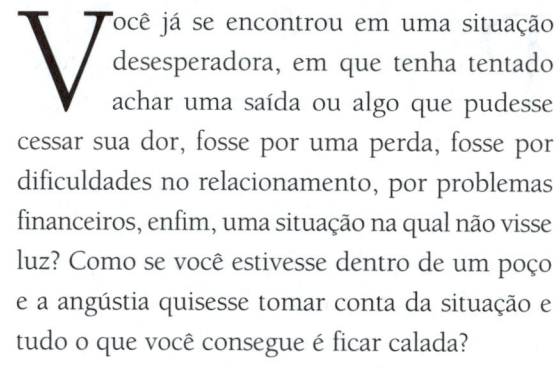

Você já se encontrou em uma situação desesperadora, em que tenha tentado achar uma saída ou algo que pudesse cessar sua dor, fosse por uma perda, fosse por dificuldades no relacionamento, por problemas financeiros, enfim, uma situação na qual não visse luz? Como se você estivesse dentro de um poço e a angústia quisesse tomar conta da situação e tudo o que você consegue é ficar calada?

Saiba que não há como você fugir e se esconder de Deus. Você não está só, nem tudo está perdido. Tenha coragem, não se deixe abater pelas circunstâncias; 2 Co 5.7 nos orienta a andarmos por fé, e não pelo que vemos.

O Senhor aguarda que você vá até Ele, clame por Seu socorro; sim, Ele não está com os ouvidos tampados, Ele não está alheio a tudo o que você está passando. Você foi criada por um Pai amoroso, todavia é necessário o nosso agir.

Levante-se e creia que Ele lhe trará o socorro!

> "Independentemente daquilo por que estou passando, a voz do Senhor me diz: 'não precisa ter medo!'."

ANOTAÇÕES

16 JUN

APERFEIÇOADA NO AMOR

> *"(...) Aquele que tem medo não está aperfeiçoado no amor."*
> **1João 4:18**

"O bem que posso fazer fortalecerá minha experiência com Deus!"

ANOTAÇÕES

Para sermos aperfeiçoadas no amor, é necessário permanecer Nele para que o nosso amor possa estar aperfeiçoado em nós.

Somente com Jesus somos levadas à compreensão, a um amadurecimento de pensamento, de nossas emoções, para que, em vez de nos sentirmos culpadas, nos coloquemos em posição de confissão, de arrependimento. Assim podemos retomar o caminho e mudar tudo o que um dia nos fez errar, nos comprometer em assumir uma posição de nova aliança com Deus, para nova vida!

Passamos do ponto do amor focado em nosso próprio eu para o **nosso**, em que reconhecemos o amor ao próximo e a compaixão da mesma forma que Deus traz por meio da Palavra!

Se acaso seu medo ainda a domina, entregue-se, alimente-se da Palavra de Deus, pois nela você não será julgada, mas transformada pelo amor de Cristo Jesus. Conforme você permanecer nesse amor, sua coragem aumentará, e o medo será lançado fora!

Catia Regiely

MANTENHA-SE FIRME

17 JUN

"De fato, já tínhamos sobre nós a sentença de morte, para que não confiássemos em nós mesmos, mas em Deus, que ressuscita os mortos."
2Coríntios 1:9

Durante a caminhada com Cristo, enfrentaremos grandes desafios; circunstâncias desfavoráveis, provações e ameaças do inimigo podem afligi-la e enfraquecê-la, mas não se abata. A sua arma é a Palavra, que lhe dá a certeza de que Deus a socorrerá.

Quando vivenciamos sofrimentos confiando em Deus, firmamos nossa fé, crendo que Jesus ressuscitou e que nós também viveremos com Ele para sempre. Nós nos tornamos capazes de encorajar pessoas à nossa volta.

Seu posicionamento deve ser firme perante qualquer situação; mesmo que obstáculos surjam, fique firme!! Siga constante na obra de Deus, para a qual foi chamada com perseverança, e verá que se tornará importante no grande projeto de resgate e salvação que o Senhor tem para nós.

Confie plenamente nas promessas que o Senhor tem reservado para você. Ele conta contigo.

"Antes de tomar qualquer atitude, sempre peço a orientação do Espírito Santo, e Ele me conduz!"

ANOTAÇÕES

18 JUN

CONTINUE, PERSISTA E NÃO DESISTA!

"Fiquem alegres com tudo quanto Deus está planejando para vocês. Sejam pacientes na dificuldade e sempre perseverantes na oração."

Tiago 1:12

> "Desista de desistir e recomece quantas vezes for necessário."

ANOTAÇÕES

Você já pensou ou está pensando em desistir? Acredite, por mais difícil que possa parecer, todos os nossos processos fazem parte do nosso aprendizado. É por meio dos desafios que obtemos experiências e crescemos.

Você pode estar chorando agora, sem conseguir enxergar as respostas de que precisa, mas confie! Você é a morada de Jesus, e tudo de que precisa está dentro, e não fora! Ele aguarda você e se importa com as suas lágrimas, ouve as suas orações, e no momento certo revelará tudo de que você precisa para superar os obstáculos.

Muitas vezes é necessário passar por momentos ruins e desafiadores para aprender que o Senhor está no controle de tudo, e por intermédio da sua vitória você poderá ajudar outras mulheres que estejam passando pelo mesmo processo.

Se em algum momento você pensou em desistir, posso lhe garantir que essa não é a melhor opção.

Catia Regiely

SOMENTE O NECESSÁRIO

19 JUN

"Disse, porém, o Senhor a Moisés: 'Eu lhes farei chover pão do céu. O povo sairá e recolherá diariamente a porção necessária para aquele dia. (...)"
Êxodo 16:4-5

Mesmo vendo milagres e estando sob o cuidado de Deus, o povo ainda permanecia rebelde, duro de coração aos olhos de Deus!

O deserto é um lugar de modelagem, um lugar de provação, onde estamos sendo cuidadas e observadas pelo Pai. Por mais que em nosso coração o desejo possa ser de abundância, é no deserto que o Senhor observa nosso caminhar e nos ensina a dar passos maiores!

Claro que temos sonhos, e assim devemos continuar caminhando. Porém, geralmente esquecemos do que de fato necessitamos e como focamos em coisas que não nos edificarão ou não trarão resultados positivos.

Que nesse momento o Espírito Santo possa visitá-la e acalmar seu coração, trazendo a ele clareza de tudo o que Deus está lhe ensinando e fazendo você lembrar-se de que Ele lhe trará a providência para todas as suas necessidades, pois Ele sabe exatamente do que você precisa.

"Além dos meus sonhos, Deus sabe exatamente do que eu preciso!"

ANOTAÇÕES

20 JUN

SEJA VOCÊ O EXEMPLO

> "(...) por toda parte tornou-se conhecida a fé que vocês têm em Deus. O resultado é que não temos necessidade de dizer mais nada sobre isso."
>
> **1 Tessalonicenses 1:6-8**

Em um período de sofrimento e dor, a alegria e a paz que excede todo entendimento tornam-se parte dos traços de comportamento daqueles que confiam e confessam sua fé em Deus.

Com a esperança diariamente renovada em Deus, que é fortalecida pelas repetições das promessas que Ele deixou entre as linhas da Sagrada Escritura, podemos renovar também nossas forças, servindo de exemplo para aqueles que ainda não creem ou até mesmo duvidam, como exemplo vivo dos ensinamentos de Jesus.

Não gaste sua força usando palavras para convencer ninguém; afinal nossa fé não precisa de defesa; ela precisa de pessoas que vivam verdadeiramente o que Jesus viveu e ensinou. Ele mesmo nos disse que faríamos coisas maiores que Ele, mas na nossa carne insistimos em falar e viver de maneiras diferentes.

O desafio de hoje é viver a palavra falada. Seja, sim, uma carta viva, leve a mensagem do amor de Deus. Seja um testemunho vivo que exalta e glorifica o Senhor em cada momento!

"Eu escolho ser um exemplo vivo do amor de Jesus aqui na terra."

ANOTAÇÕES

Catia Regiely

A DOR NOS LEVA PARA PERTO DO PROPÓSITO

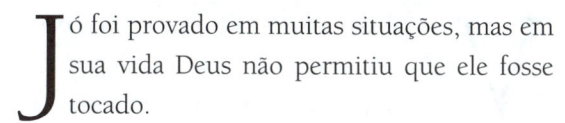

21 JUN

"Bem sei eu que tudo podes, e que nenhum dos teus propósitos pode ser impedido."

Jó 42:1

Jó foi provado em muitas situações, mas em sua vida Deus não permitiu que ele fosse tocado.

Em nossa vida não é diferente: o Senhor nos protege e nenhum mal pode nos tocar. Porém Jesus nos disse que no mundo teríamos aflições e que não seria fácil.

São várias as mensagens que dizem que podemos passar por vales, sombras, desertos, perseguições e até mesmo pela morte, mas a presença de Deus faz com que nos lembremos sempre de que, para ser cumprido o propósito, nada pode ser impedido em nossa vida, nem mesmo a dor.

Não estou dizendo que Deus nos prova, mas o silêncio Dele se faz necessário diante dos nossos desafios; assim seremos moldadas e forjadas conforme os propósitos que Ele tem para nossa vida.

O processo da dor molda o nosso caráter e nos transforma de dentro para fora. As águas tranquilas servem para facilitar o nosso descanso, mas somente as grandes tempestades fazem grandes marinheiros.

"Hoje eu olho para os meus desafios e vejo o meu propósito!"

ANOTAÇÕES

22 JUN

SOMOS COMO ÁRVORE FRUTÍFERA

> *"Chegará o dia em que o povo de Israel, como uma árvore viçosa, criará raízes, brotará e florescerá, e dará frutos que encherão o mundo inteiro."*
>
> **Isaías 27:6**

"Eu respeito os meus invernos, para florescer na primavera!"

ANOTAÇÕES

Você sabia que para tudo existe um processo? Assim como as estações do ano têm um tempo para começar e para terminar. As flores e frutas têm um tempo para germinar, criar raízes, brotar e florescer! Não há como interferir no processo, ele precisa acontecer!

A semente plantada na terra entra em decomposição, morre e depois renasce, germinando seus brotos e raízes, para então crescer frondosa e saudável.

Na nossa vida não é diferente; para florescermos é preciso respeitar o processo, não podemos pular etapas.

A primavera só acontecerá depois do inverno. Seja qual for a circunstância, creia que ele passará e chegará o tempo de florir com a primavera. Alimente a esperança cuidando da sua semente, e na hora da colheita verá os seus frutos lindos e saudáveis.

Na primavera os dias ficam alegres, as ruas ficam mais coloridas, mas imagine se o processo não tivesse sido respeitado; certamente ela nem chegaria. Não tenha pressa, respeite o processo dos seus invernos e poderá desfrutar de uma primavera extraordinária!

Catia Regiely

É PRECISO DAR FRUTOS

23 JUN

> *"É como árvore plantada à beira de águas correntes: Dá fruto no tempo certo e suas folhas não murcham. Tudo o que ele faz prospera!"*
>
> **Salmos 1:3**

Em várias passagens somos comparadas com a criação, afinal também somos a criação de Deus, e a especialidade Dele é nos ensinar com as analogias de sua própria criação.

O Senhor deseja que sejamos prósperas. Ser próspera em todas as áreas da nossa vida com um crescimento solidificado Nele. Ele nos diz também que seremos conhecidas pelos nossos frutos. Que frutos você tem dado?

Na parábola da figueira, Jesus disse que havia três anos que tentava colher os frutos, mas ela não produzira nenhum fruto. Se estamos plantadas na fonte da vida, nas águas vivas do Criador, não seremos árvores estéreis, pois seremos alimentadas constantemente por Aquele que nos sustenta. Então daremos frutos fartos, lindos, e deixaremos um legado para outras gerações que virão.

Enfim, seremos conhecidas pelos frutos que gerarmos e prosperaremos em tudo aquilo em que colocarmos as mãos.

"Eu sou conhecida pelos frutos que tenho gerado."

ANOTAÇÕES

24 JUN

NÃO ENTERRE SEU TALENTO

"E também será como um homem que, ao sair de viagem, chamou seus servos e confiou-lhes os seus bens. (...) Em seguida partiu de viagem."
Mateus 25:14-15

O Senhor lhe dá talentos e dons conforme a sua capacidade. Você pode não se sentir capaz neste momento para receber algo, mas Ele conhece e esquadrinha todo o seu coração. Ele sabe também a capacidade que você tem para desenvolver esse dom ou talento.

Depois de desenvolver a capacidade, a sua missão será multiplicar esse talento, transbordar para outras pessoas que estão sedentas e precisando transformar a vida. Muitas vezes eu pensei que não conseguiria, me preocupei com o que os outros falariam, mas decidi ouvir apenas o que Deus pensava e queria de mim. E entendi que a única coisa que eu não poderia fazer era enterrar os meus talentos.

Tenha coragem, reconheça suas limitações, mas permita que o Senhor a use, permita que Ele venha fluir através de você, a fim de que vejam Deus em você. Permita-se ser instrumento.

"Eu me permito alcançar outras vidas, multiplicando meus dons."

ANOTAÇÕES

Catia Regiely

O SEU CORAÇÃO É UM SOLO FÉRTIL

25 JUN

"A semente lançada na terra boa é a pessoa que ouve a Palavra e a colhe, e a colheita supera todas as expectativas."
Mateus 13:23

O seu coração é um solo fértil! Tudo o que plantar ele germina, sejam sementes boas ou ruins, sejam palavras positivas ou negativas.

Tudo o que você vê, ouve e sente desde criança foi plantado em seu coração e de alguma forma foi colhido com traumas, crenças limitantes, medos, raiva.

Convido você a preparar o solo do seu coração e a partir de agora ter a certeza do seu plantio, para também ter a certeza da sua colheita.

Para que o solo seja preparado, antes de lançar as sementes é necessário revirar a terra, retirar toda a sujeira que atrapalha, assim como toda amargura, rancor, mágoa e ressentimentos.

Um solo bem trabalhado, cuidado e irrigado germina boas sementes e gera bons frutos.

Como está o seu coração hoje? Reflita como foram os seus pensamentos durante os dias que se passaram. Se preferir, escreva num caderno como você preparará o solo do seu coração se ele ainda está com algumas pedras que precisam ser removidas.

"Estou preparando o meu coração para as novas sementes."

ANOTAÇÕES

26 JUN

> *"Espere no Senhor. Seja forte! Coragem! Espere no Senhor."*
>
> **Salmos 27:14**

"A espera não é um tempo perdido, mas um tempo de preparo, crescimento e fortalecimento."

ANOTAÇÕES

_____
_____
_____
_____
_____
_____
_____
_____

A ARTE DE ESPERAR

Mergulhar na arte da esperança é como semear uma promessa divina em solo fértil. Assim como uma águia, aprender a elevar nossas expectativas, confiantes na soberania de Deus. A espera não é passividade, mas uma jornada de crescimento espiritual. Às vezes, é na aparente demora que somos forjadas e fortalecidas. A Bíblia nos ensina que a esperança não é vazia, mas cheia de expectativa. A cada dia de espera, somos esculpidas pela paciência divina. Não há tempo perdido quando confiamos no cronograma celestial. Aprendemos a enxergar o invisível e a crer no inalcançável. A espera não é apenas uma pausa, mas, sim, um processo de transformação.

Quantas vezes nos encontramos ansiosas, buscando respostas imediatas. Mas a verdadeira sabedoria está em aprender a esperar no Senhor. Nos momentos de incerteza, nossa fé é fortalecida ao confiar que Ele tem um plano perfeito.

Quando nos inquietamos, lembremos da promessa divina: "Espere no Senhor. Seja forte! Coragem! Espere no Senhor".

A esperança não é um sinal de fraqueza, mas de confiança. Deus, em Sua soberania, trabalha nos bastidores, alinhando cada detalhe para o nosso bem.

MERGULHE EM ÁGUAS PROFUNDAS

27 JUN

"Finalmente, mediu mais quinhentos metros, e o rio era tão fundo, eu não podia atravessar (...)."
Ezequiel 47:5

Como tem sido o seu relacionamento com o Pai? O Senhor deseja ter intimidade com você, ser seu melhor amigo, seu Pai, seu Senhor! E muitas vezes oramos e vamos dormir, sem parar por alguns minutos para ouvi-lo. Na verdade, O deixamos falando sozinho.

Você consegue identificar-se? Um relacionamento íntimo, assim como o casamento, não funciona se apenas um dos lados fala, desabafa, e quando chega o momento de o outro falar, não tem ninguém para ouvi-lo. Não passa de um relacionamento raso.

Pense agora na sua melhor amiga. Aquela que a escuta, mas que também lhe dá conselhos e você sente segurança e amor em suas palavras. Um relacionamento de toda hora, um relacionamento profundo, com uma troca de amor verdadeiro. O Senhor nos convida a construir esse relacionamento íntimo e profundo.

Desafio você a se lançar em Seus braços, dedicar um tempo para ouvi-lo! Ele quer falar contigo!

"Eu me lanço em águas mais profundas por confiar em Deus."

ANOTAÇÕES

28 JUN

PREPARE-SE

"Revesti-vos de toda a armadura de Deus, para poderdes ficar firmes contra as ciladas do Diabo."
Efésios 6:11

"A maior batalha que travo todos os dias é da minha carne contra o meu espírito."

ANOTAÇÕES
_____
_____
_____
_____
_____
_____
_____

Existe uma guerra acontecendo neste momento, mas essa batalha não é contra as pessoas que a cercam, mas, sim, uma batalha espiritual, e precisamos aprender as estratégias para vencer.

Preparar-se para essa batalha é estar sensível aos acontecimentos, intensificar as orações, a leitura da Palavra, louvar o todo tempo, jejuar com o objetivo de edificar a sua vida para o conhecimento. Porém, deixo um alerta para não espiritualizar tudo, responsabilizando as trevas por tudo o que acontece de ruim em sua vida.

É preciso também ter coragem de assumir as responsabilidades por nossas escolhas equivocadas e entender que muitas vezes entramos em batalhas porque não temos o conhecimento e por ouvir mais a nossa carne (ego).

Quando tiramos a nossa responsabilidade, nos vitimizamos e então damos autoridade para o mal agir em nossa vida. Por isso, preparar-se é cuidar da nossa mente e estarmos cientes de que nossas escolhas geram consequências.

Catia Regiely

TORNANDO-SE UMA MULHER DE ATITUDE

29 JUN

"(...) Quando já não podia mais escondê-lo, pegou um cesto feito de junco e o vedou com piche e betume. Colocou nele o menino e deixou o cesto entre os juncos, à margem do Nilo."
Êxodo 2:2-3

Joquebede foi uma mulher valente e corajosa, um grande exemplo de mulher de atitude. Diante do cenário aterrorizante que estava vivendo, ela viu-se desafiada a colocar em perigo o seu bebê, mas decidiu assumir o risco e preservou a vida de seu filho.

Ela não cruzou os braços nem se lamentou da sorte, mas teve atitude, foi determinada e corajosa. Mulheres determinadas e corajosas movem o coração de Deus!

Joquebede olhou para o seu desafio e recusou-se a sentir medo; confiou que Deus estaria com ela. Não imaginava que faria parte de um plano glorioso de Deus para libertar o seu povo, pois aquele que ela protegeu seria o resgatador do povo hebreu.

Uma mulher de atitude é uma mulher que entende que, se ela está em Deus, Ele moverá tudo a seu favor!

Convido você a posicionar-se, hoje, como uma mulher temente a Deus, sem medo, corajosa e valente para enfrentar os seus desafios.

"Mulheres corajosas movem o coração de Deus!"

ANOTAÇÕES

30 JUN

> "Para que todos sejam um, Pai, como tu estás em mim e eu em ti. Que eles também estejam em nós, para que o mundo creia que tu me enviaste."
>
> **João 17:21**

EU SOU UMA COM JESUS

Sabemos que Deus nos chama para fazer parte de um grande exército, o exército do amor, cujo único objetivo é levar vida para as pessoas. Deus quer formar um exército que tenha a mesma natureza divina Dele, o mesmo alvo, a mesma visão.

Esse exército se chama Reino, e o general é Cristo. Para fazer parte desse exército, só há uma maneira: **sendo uma com Ele.**

Cristo nos apresenta a sua vontade ao Pai; não existe outra maneira de entrar no Reino, se não formos uma com Ele.

Você sente que já faz parte desse exército ou ainda está caminhando para ele? Quando você tem a certeza de que é uma com Ele, tudo o que é Dele é seu, e tudo o que é seu é Dele também. Mesmo que ainda não se sinta assim, não há problema, lembre-se de que precisamos respeitar os nossos processos; por isso a convido a não temer nada e aceitar a unidade com Cristo, dando o seu primeiro passo. Aceitar e reconhecer Jesus como o Senhor da sua vida!

"Faço parte do exército de Deus, pois sou uma com Jesus."

ANOTAÇÕES

_____
_____
_____
_____
_____
_____
_____
_____

Catia Regiely

JULHO

01 JUL

> *"O Reino dos céus é como um tesouro escondido num campo. (...)."*
> **Mateus 13:44**

LAPIDADA PELO MESTRE

Quando olhamos para Jesus, conseguimos ter uma definição daquilo que é desafiado por nós como discípulas. Ele consegue transformar um grupo de pessoas que não se conheciam e que não tinham nenhum tipo de afinidade em uma poderosa equipe.

O Senhor quer nos lapidar com Suas mãos poderosas, mesmo diante das nossas adversidades, das nossas lutas e das deformidades que nos envolvem. Ele sabe que somos o tesouro escondido num campo, um diamante bruto que precisa ser lapidado numa joia preciosa e assim sermos forjadas num grupo de mulheres poderosas que levam a Palavra e o Reino de Deus para outras mulheres que se encontram perdidas.

Deus quer trazer à tona a sua verdadeira identidade, a sua essência! Permita-se ser lapidada **por** Ele e **para** Ele e então descobrir o seu real valor e o seu verdadeiro poder Nele, para fluir como um rio de águas vivas na sua vida e em outras vidas.

"O Senhor enxerga a beleza que há em mim; eu me permito ser lapidada por Ele."

ANOTAÇÕES

Catia Regiely

COMO ORAR?

02 JUL

"Os preceitos do Senhor são justos, e dão alegria ao coração."
Salmos 19:8

O Senhor tem um idioma. Ele fala conosco por meio de sua Palavra.

Quando estamos bem com Deus, com a sua Palavra e com as pessoas, a oração pode fluir diretamente do nosso coração, pois ela é pessoal. Ela se torna espontânea, original, como quando você fala com um amigo.

Mesmo você tendo a liberdade que o Senhor nos dá para orar, a Palavra Dele nos ensina a usar estratégia em nossas orações e a entrar na mesma frequência do coração de Deus, falando a mesma língua.

Se orarmos com base em nossas emoções, elas nos direcionarão, e nossa oração ficará comprometida, pois usamos a nossa dor, e a nossa vontade fala mais alto. Nesses momentos mais dolorosos é preciso orar a Palavra de Deus, para que ela tenha eficácia; assim você não será influenciada por suas próprias vontades e entendimentos.

Quando oramos a Palavra de Deus, nós nos mantemos constantes e consistentes e podemos ter certeza de que o Espírito Santo nos guiará por essa oração.

"Quando oro a Palavra, minhas vontades não prevalecem."

ANOTAÇÕES

03 JUL

CURADA PARA CURAR

> *"Ele sofreu e aceitou toda espécie de sofrimento para que vocês soubessem que esta vida era possível e aprendessem a vivê-la, passo a passo."*
>
> **1Pedro 2:24**

As circunstâncias da vida não alteram as promessas que estão disponíveis para nós. Se você venceu desafios, passou por situações que a fizeram crescer em intimidade com o Senhor e permanece firme. Creia que há um propósito em sua vida e a partir desse momento o Senhor te enviará pessoas que possam te auxiliar na caminhada; há algo muito maior na sua existência.

Jesus pagou um preço alto por sua vida e pela minha vida, e uma nova vida, uma nova identidade recebemos: a de filha! Acredite, todas nós fomos chamadas para uma missão: proclamar o Evangelho, anunciar que o Reino dos Céus já é chegado e trazer muitas vidas para essa visão!

E, por meio da nossa intimidade, dedicação e entrega, o Senhor nos ensina que podemos viver essa vida de maneira leve e curada! Um passo de cada vez, mas sempre olhando para o alvo, aprenderemos a liberar toda amargura, traumas do passado e sofrimentos que nos aprisionam, visto que está consumado pela obra da cruz!

"Liberte-se de tudo que a impeça de viver uma vida em plena confiança no Pai."

ANOTAÇÕES

Catia Regiely

COMO TÊM SIDO OS SEUS DESERTOS?

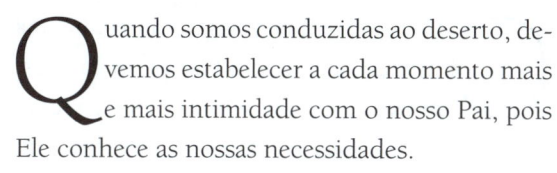

04 JUL

"E te lembrarás de todo o caminho pelo qual o Senhor, teu Deus, te guiou no deserto (...)."
Deuteronômio 8:2

Quando somos conduzidas ao deserto, devemos estabelecer a cada momento mais e mais intimidade com o nosso Pai, pois Ele conhece as nossas necessidades.

Passar pelo deserto significa o momento de superar medos, doenças, morte, tristeza, angústia, desemprego, escassez e ansiedade; sem murmurar, sendo gratas. Precisamos aprender a passar pelo deserto firmes, louvando e adorando ao nosso Deus.

Lembre-se de que Jesus foi conduzido pelo Espírito Santo ao deserto para ser tentado, mas foi pela Palavra que Ele venceu o tentador e logo depois foi servido pelos anjos.

Como estão sendo os seus desertos? Você está passando por ele dando glória ou está focando nos problemas e murmurando?

Permita-se ser conduzida pelo Senhor para aprender a fazer dos desertos um lugar passageiro, e não de permanência e morte espiritual.

> **"O deserto é lugar de aprendizado, crescimento e evolução."**

ANOTAÇÕES

05 JUL

PROFETIZE A VIDA

> "E derramarei dentro de cada um de vós o meu Espírito, e vivereis."
> **Ezequiel 37:14**

"Eu tenho o poder de profetizar a vida."

ANOTAÇÕES
_____
_____
_____
_____
_____
_____
_____
_____

O povo de Israel via-se diante de uma situação em que havia perdido a esperança. Eles se sentiam mortos, com ossos secos; para eles aquele momento era o fim. Estavam distantes do templo, vivendo com pessoas que não conheciam a sua fé.

Você já se encontrou nessa situação? Sem motivos para ter esperança, para viver, parece que um vazio toma o seu coração e a deixa sem forças para continuar? Saiba que o Senhor tem o poder para lhe trazer vida em abundância!

O Senhor tem um sopro de vida e está disponível como um banquete para você acessar; você só precisa querer e aceitar com os olhos da fé. Todos os dias, assim como um exercício físico, ser grata a Ele como se essa vida que você anseia já estivesse acontecendo. Somente você tem o poder de trazer à existência, isso é fé!

A palavra que sai da sua boca tem o poder de criar a realidade. Então pare agora mesmo de deixar palavras ruins, negativas, murmurações saírem de dentro de você. Acolha gentilmente seus pensamentos e transforme-os.

FOI DADA A LARGADA

06 JUL

> "(...) corramos com perseverança a corrida que Deus propôs para nós."
> **Hebreus 12:2**

Todo ano assistimos na TV à famosa Corrida de São Silvestre, e, ao ouvirmos o som da largada, um frio na barriga e um pensamento tomam conta de nós: "acho que não quero mais". Mas, se você ficar parado e não começar a correr, provavelmente será pisoteada pela multidão. Depois, no decorrer da corrida, é preciso manter-se atenta para não tropeçar, não cair.

Na nossa vida não é diferente: aceitamos Jesus, sentimos medo do que poderá acontecer em nossa vida, dá vontade de voltar atrás, mas começamos essa corrida sem olhar para trás. Mas, à medida que vão surgindo os obstáculos, precisamos manter nossos olhos fixos em Cristo, para não pararmos à beira do caminho. De nada adiantará se pegarmos atalhos, pois certamente teremos de recalcular a nossa rota e voltar para a direção correta.

Não se preocupe se no meio dessa corrida você cair. Jesus cuidará das suas feridas, derramando nelas vinho e óleo, e você estará pronta para retomar essa grande corrida chamada **vida**.

> "Jesus venceu a corrida e sabe que você também alcançará a linha de chegada."

ANOTAÇÕES

07 JUL

VOCÊ É O TESOURO ESCOLHIDO

"O eterno escolheu a vocês entre todos os povos da terra para ser seu tesouro escolhido."
Deuteronômio 7:6

"Ele te escolheu antes de você ser formada no ventre de sua mãe."

ANOTAÇÕES

Existe um Plano especial e perfeito para cada uma de nós. O Senhor nos adotou como filhas, por meio de Jesus Cristo. A decisão mais sábia é reconhecer a soberania de Deus e permitir-se ser guiada por Ele.

Você pode não acreditar, mas é a menina dos olhos de Deus. Ele nos amou primeiro, e esse amor nos liberta e traz renovação a cada dia em que acordamos.

Eu sei que muitas mulheres estão com seus sonhos engavetados, não conseguem ver o verdadeiro valor que há nelas, mas, quando Deus nos chama de escolhidas, Ele quer nos mostrar que tudo é possível se acreditamos nisso.

Ele não nos diz palavras que não pode cumprir ou para aparecer, porque não precisa disso. Ele te amou a ponto de renunciar ao seu próprio filho. Percebe quanto você é valiosa para Deus?

Não importa se o homem não consegue ver o seu valor; respire fundo, levante essa cabeça, coloque o seu salto alto e esteja convicta de que o seu valor é real e que ele transcende às mais raras joias.

Catia Regiely

VOCÊ TEM VALOR

08
JUL

"Eu te louvo porque me fizeste de modo especial e admirável. Tuas obras são maravilhosas! Digo isso com convicção!"
Salmos 139:14

Muitos desconhecem o seu valor diante de Deus. Muitas vezes somos desprezadas, humilhadas e até mesmo abusadas física e emocionalmente, o que nos faz acreditar que não somos nada e que ninguém se importa conosco.

Em nosso interior ficam as feridas e as dores por não nos sentirmos amadas, e passamos uma vida inteira buscando ser amadas pelas pessoas, sejam elas amigas, amores, familiares, enfim, o mundo clama por amor!

Hoje você pode até não enxergar o seu valor, por estar nessa busca sem fim por amor, mas há alguém que não exige nada de você e a ama sem mesmo você retribuir: Deus. Ele a formou de modo especial e admirável; você é a melhor obra das mãos do Senhor.

Ele não te ama por causa da sua aparência, sua beleza, seu dinheiro, formação acadêmica ou comportamento; simplesmente Ele te ama! E não há nada que você faça que mudará isso.

Ele nos ama e se importa conosco. Você tem o valor precioso para Deus, e eu a convido a sentir, neste dia, o valor que Ele lhe dá.

"Eu me valorizo como Deus me valoriza!"

ANOTAÇÕES

09 JUL

"O Pão de Deus desceu do céu para dar vida ao mundo."
João 6:33

ALIMENTE-SE VERDADEIRAMENTE

Jesus realizou o milagre da multiplicação dos pães e peixes de maneira que todos se alimentaram e ainda sobrou. Ele mostrou que o Pai é quem dá condições de suprir as nossas necessidades. Ele se importa com a nossa vida material.

O Senhor se preocupa com as suas necessidades de comer, de beber, com a nutrição do corpo físico; portanto é importante lembrar que também precisamos fazer a nossa parte e buscar o alimento espiritual diariamente, nutrir a nossa alma da Palavra, da fé, da esperança.

Alimentar-se de fé, esperança, amor e gratidão por meio da Palavra de Deus é essencial, tal como se alimentar todos os dias para a sobrevivência do corpo físico. São as promessas contidas na Palavra de Deus que nos trazem ânimo e sustento para continuarmos firmes durante a caminhada, nos alimentando diariamente do verdadeiro Pão da Vida.

"Eu escolho me alimentar diariamente do Pão da Vida!"

ANOTAÇÕES

Catia Regiely

JESUS É QUEM NOS CONDUZ

10 JUL

> "Se vocês se desviarem do caminho de Deus, ouvirão atrás de vocês uma voz dizendo: 'Por aí não! Este é o caminho; andem por ele!'."
>
> **Isaías 30:21**

Esteja atenta à voz de Deus, silencie toda e qualquer voz que queira te impedir de seguir o caminho do Senhor. Creia que Jesus endireitará o seu caminho se você está distante Dele ou então se sentindo perdida e sem direção.

Como num labirinto, onde os caminhos são tortuosos, esteja sensível a ouvir a voz do Espírito Santo, que sempre está com você. Ele te chama pelo nome e te conduz para o caminho que já está preparado para você trilhar. Mas para reconhecer a voz Dele é necessário ter um relacionamento íntimo com Deus. Deus nos prometeu que em nenhum momento nos deixaria ou nos abandonaria; em todo o tempo o Espírito Santo fala conosco, mas, se você não tem conseguido ouvir a sua voz, reflita sobre quais são as vozes que você tem ouvido.

É no decorrer do caminho que aprendemos, é durante a caminhada que amadurecemos e crescemos. Você não está só; Ele está com você. Cabe a você aceitar o cuidado de Deus durante o processo e confiar Nele.

"Eu aceito ser conduzida por Jesus."

ANOTAÇÕES

11 JUL

SIGA A DIREÇÃO QUE FOI DADA

> "Ande, vá correndo para a grande cidade de Nínive! E anuncie meu julgamento contra ela, pois não posso ignorar a sua maldade."
>
> **Jonas 1:1**

Jonas tentou fugir, pagou uma quantia para ir ao contrário do direcionamento que Deus lhe deu. Ele achava tudo uma loucura, e, depois de muito sofrer com a sua teimosia, Jonas resolve obedecer.

Não faça como Jonas, dê ouvidos à voz do Senhor, pois Ele quer que sejamos canais de transformação para outras vidas. Quando recebemos uma mensagem, devemos passá-la adiante, independentemente de nos sentirmos capazes ou não, acreditando sempre que quem faz a obra não somos nós, e sim o poder do Espírito Santo. Nós apenas transmitimos as boas-novas.

Você está seguindo a direção dada ou está como Jonas, tentando fazer os seus próprios caminhos? Ainda há tempo de voltar e cumprir o chamado que Deus tem na sua vida. Quando você começar a colher os frutos desse chamado, terá a certeza de que não era apenas coisa da sua cabeça.

"Uma vida para Cristo vale mais que o mundo inteiro."

ANOTAÇÕES

Catia Regiely

NAS MÃOS DO OLEIRO

12 JUL

O Senhor tem poder para transformar, mas é necessária a sua permissão para ser moldada. Assim como o barro, quando umedecido, nas mãos do oleiro é transformado num lindo vaso. Nós, quando umedecidas com a água da vida, somos moldadas e transformadas pelas mãos do oleiro que é Deus. O barro amolece e permite-se ser moldado; é assim que devemos estar na presença do Senhor: amolecidas, vulneráveis, sensíveis para que Ele com suas próprias mãos tire todas as deformidades e nos faça novas.

O Senhor nos criou à Sua imagem e semelhança, uma obra perfeita, porque Ele é perfeito e Sua vontade é boa, perfeita e agradável. E somos chamadas para ser a diferença onde vivemos. O Reino de Deus já chegou e precisa de representantes.

Estar aberta para ser moldada pelo oleiro é permitir-se desconstruir tudo o que aprendeu ao longo da vida para aprender tudo novamente, desde os primeiros passos. E assim ser transformada numa representante do Reino.

"Povo de Israel, por acaso Eu não posso fazer com vocês a mesma coisa que este oleiro fez com o barro? Como o barro está na mão do fabricante de jarros, vocês estão na minha mão."

Jeremias 18:6

"Eu quero ser como barro nas mãos do oleiro."

ANOTAÇÕES

13 JUL

"Eis que te purifiquei, mas não como a prata; provei-te na fornalha da aflição."
Isaías 48:10

"O que eu vivo hoje é fruto de escolhas feitas ontem."

ANOTAÇÕES
_____
_____
_____
_____
_____
_____
_____
_____

TROQUE SEUS QUESTIONAMENTOS

Quando a dor e as dificuldades parecem esmagadoras, deixamos nossas emoções nos controlar a tal ponto que a cegueira nos invade e não conseguimos entender os sinais, e muito menos os ensinamentos que a Palavra de Deus nos oferece.

O sofrimento nos leva a questionamentos angustiantes, como: "se Deus é bom, por que Ele permitiria essa dor em minha vida?". "Por que tenho de passar por isso se sou uma pessoa boa?" "Será que Deus é verdadeiramente soberano sobre acidentes ou doenças?"

São muitas as perguntas, mas nenhuma resposta, pois entramos numa zona chamada de vitimismo e acabamos até duvidando da soberania de Deus. Troque as perguntas acima, no dia de hoje, por estas: "O que eu plantei ontem que me trouxe essa colheita?". Qual é a minha parte neste sofrimento todo?" "Quais são as lições que preciso aprender para mudar esta história?"

O Senhor sempre estará com você, não importa a situação. Mas entenda que tudo o que você está vivendo hoje é fruto de uma escolha feita um dia.

Catia Regiely

A ESPOSA PLENA

Uma esposa plena no casamento é aquela que decide se posicionar como uma ajudadora, que assume suas responsabilidades e deveres a cumprir no casamento.

Na versão original o termo "auxiliadora" também nos remete a opositora idônea, ou seja, ela tem a capacidade e a habilidade de alertar o homem sobre seus comportamentos equivocados e ciladas da vida. A mulher é como um radar; sua intuição aflorada consegue sentir o perigo de longe.

Ela é uma mulher sábia, que transborda amor sobre o seu lar e corresponde ao amor que ela tem por intermédio das suas doces palavras.

Ela não é uma mulher briguenta, raivosa nem murmuradora. Ela é mulher sábia e leva todas as suas aflições em oração por meio dos seus joelhos dobrados.

Uma mulher plena no casamento consegue ser administradora do seu lar e eterna namorada para seu esposo.

Reflita, neste dia, sobre como você tem sido como esposa. Se preferir, escreva num caderno as atitudes que precisam de mudança.

14 JUL

"Disse mais o Senhor Deus: 'Não é bom que o homem esteja só; far-lhe-ei uma auxiliadora que lhe seja idônea'."
Gênesis 2:18

"A cada dia que passa, manifesto a esposa plena que há dentro de mim."

ANOTAÇÕES

15 JUL

EU SOU DECIDIDA

> *"Vós sois a luz do mundo; não se pode esconder uma cidade edificada."*
> **Mateus 5:14**

"Eu decido irradiar a luz e temperar a vida dos que me cercam por meio de Jesus."

ANOTAÇÕES

Jesus diz que somos a luz deste mundo e o sal da terra. Não há como andar na escuridão, sem uma luz que nos guie, nem que essa luz seja um fio bem pequeno. Não tem graça comer uma comida sem nenhum sal, e muito menos uma comida muito salgada. Essa expressão de Jesus nos mostra quem somos pelos olhos Dele. E isso é incrível!

Ser o tempero da terra e a luz que ilumina não é para qualquer mulher, mas, sim, para aquela que é decidida e anda segundo a Palavra de Deus. Ela gera vida por meio da sua própria vida e acredita que pode fazer muito mais do que imagina.

Decida agora ser essa mulher decidida em assumir a identidade deixada por Cristo, para que possa temperar e iluminar este mundo tão tenebroso em que estamos vivendo.

Jesus é a própria luz que habita em você! É Nele que a sua luz brilha e reflete para todos que a cercam. Jesus é o próprio sal! É Nele que o seu tempero terá mais sabor e todos poderão provar do verdadeiro alimento: o Pão da Vida.

Catia Regiely

UMA MULHER VISIONÁRIA

16 JUL

"'Eu aceito suas condições', respondeu ela, e despediu-se deles, deixando o cordão vermelho pendurado na janela."
Josué 2:21

Você conhece a história de Raabe? Ela era uma prostituta, mas deixou-se ser transformada por Deus. Ela tomou uma decisão, e o Senhor conhecia o seu coração. Ela era uma mulher visionária, conseguia enxergar além de todos os problemas que enfrentava naquela época.

Raabe foi uma mulher que, mesmo sem conhecer a Palavra e viver experiências com Deus, teve visão e acreditou!

Podemos ver quanto a fé dela a direcionou para enxergar a oportunidade, mesmo diante do cenário de uma vida de prostituição, vaidade e luxúria, que até poderia lhe fazer vestir uma capa de poderosa para esconder o vazio do seu interior. Mas, no momento em que ela sentiu o verdadeiro poder, vindo do próprio Deus, teve temor, e por sua atitude de ousadia tornou-se uma mulher extraordinária e digna aos olhos Dele.

Eu a convido a ser como essa mulher de visão e parar de olhar somente para as circunstâncias que você está vivendo hoje. Olhe além, como a águia, porque, quando você olha por cima do cenário em que se encontra, consegue enxergar diversos outros caminhos.

"Eu sou uma mulher que tem visão de águia!"

ANOTAÇÕES

17 JUL

"Não pequeis deixando o sol se pôr sobre a sua ira."
Efésios 4:26

TRANSFORMANDO A RAIVA EM PAZ

"A raiva não define quem somos; é como respondemos a ela que faz a diferença."

ANOTAÇÕES

_____
_____
_____
_____
_____
_____
_____

A raiva é uma emoção poderosa, mas podemos escolher como lidar com ela. A Palavra nos adverte de que não permite que a ira perdure, pois ela pode se transformar em amargura. Quando nos entregamos à raiva, estamos dando espaço ao inimigo para minar nossa paz interior. Em vez disso, busquemos o conselho de Tiago 1:19-20, que nos lembra da importância de sermos tardias para a ira e rápidas para ouvir. Ao nos mantermos calmas em situações solicitadas, permitimos que Deus esteja em nosso favor.

Jesus, nosso exemplo máximo, experimentou a ira justa, mas nunca permitiu que ela o dominasse. Ele nos ensina que a raiva pode ser um alerta para injustiças, mas não devemos permitir que ela nos escravize.

A raiva pode ser uma oportunidade para exercermos o perdão e a compaixão. Lembre-se de que a ira não resolve, mas o amor e a paciência podem transformar corações. Vamos escolher hoje deixar que o amor de Deus afaste qualquer raiz de amargura e nos conduza à paz que excede todo entendimento.

Catia Regiely

APRENDA A SER GRATA

18 JUL

"Em tudo dai graças, porque esta é a vontade de Deus em Jesus Cristo para convosco."
1 Tessalonicenses 5:18

Paulo nos convida a aprender a dar graças em tudo e o tempo todo. Eu sei que é desafiador, pois as circunstâncias muitas vezes nos surpreendem, e acabamos por nos deixar envolver pelas emoções do momento.

Mas, o que é dar graças? É louvar ao senhor e acreditar que, mesmo não sendo algo bom, aquele acontecimento é para o meu bem.

Lembra aquele dia que você chegou atrasada no trabalho? Ou então quando o elevador quebrou e você teve de subir pela escada? O pneu furou e você não sabia trocar? Como foi a sua reação?

São tantas as vezes em que nos acontece o inesperado que, em vez de encontrar o propósito, começamos a nos lamentar e até mesmo a reclamar.

E, quando você aprende a dar graças por tudo o que lhe acontece, você começa a exercitar o poder da gratidão, que a ajuda a transcender qualquer problema, pois você não está mais condicionada por nenhuma circunstância.

"Eu dou graças por tudo o que me acontece."

ANOTAÇÕES

19 JUL

EU SOU PLENA

> "E conhecer o amor de Cristo, que excede todo entendimento, para que sejais cheios de toda a plenitude de Deus."
>
> **Efésios 3:19**

"Eu busco um pouco a cada dia ser uma mulher plena."

ANOTAÇÕES

Quando você descobrir a verdadeira identidade, quando você tiver certeza da essência que carrega, certamente será uma mulher plena. O amor de Deus é certo em nossa vida, porém é fundamental entender quem você é para tornar-se uma mulher inabalável.

Ser plena é ser inabalável, ou seja, nada nem ninguém abala suas estruturas, pois você tem a certeza da sua identidade.

Se você ainda se preocupa com o que os outros pensam, ou ainda tem dificuldade para tomar decisões se não tiver alguém a apoiando, infelizmente ainda não é a plenitude que você está vivendo.

Uma mulher plena conhece o seu propósito e vive por ele; ela não passa o tempo todo fazendo cobrança a si mesma.

Como você tem vivido a sua vida? Que tal olhar para dentro e analisar quais são os medos, pensamentos, cobranças e críticas que têm passado pela sua mente, impedindo você de viver a plenitude?

Catia Regiely

GOVERNANDO MINHAS EMOÇÕES

20 JUL

"Ela, pois, com amargura de alma, orou ao Senhor e chorou abundantemente."
1Samuel 1:10

Ana era uma mulher de fé que não se deixava levar pelas suas emoções. Mulher determinada e com atitude de uma mulher de Deus. Ela tinha princípios e valores e não negociava em meio às diversidades.

Essa mulher nos ensina que o único que pode liderar a nossa mente é o Senhor e que, não importa o que enfrentamos, as emoções sempre tentarão nos controlar e sabotar.

As nossas emoções não definem quem somos, e sim nós definimos quem somos em Cristo Jesus quando voltamos a Ele nosso coração.

Não deixe a sua mente te liderar. Não importa qual seja a sua diversidade, o Senhor é poderoso para controlar a sua vida e as suas emoções. Confie no Senhor, pois só Nele teremos vitórias. Permita-se viver sob a liderança Dele e aprender a lidar com as suas emoções, de forma que elas não a dominem mais.

Aprenda a acolhê-las como algo bom, pois quem as colocou dentro de você foi o próprio Deus, então nenhuma emoção é ruim; lidando corretamente com ela, você conseguirá alcançar a Sua bênção.

"Eu oro acolhendo as minhas emoções e permitindo que o Senhor lidere meus pensamentos."

ANOTAÇÕES

21 JUL

AUTOAMOR É UM MANDAMENTO

> "E o segundo é semelhante a ele: 'Ame o seu próximo como a si mesmo'."
> **Mateus 22:39**

"Eu sinto amor verdadeiro por mim."

ANOTAÇÕES

A sua vida é o presente mais valioso que você recebeu de Deus, por isso deve cuidar dela. Agora, mais ainda, conhecendo a sua identidade, o seu valor e o poder que há em você! Você é a pessoa mais importante da sua vida!

Imagine que está viajando de avião com o seu filho e o comandante avisa que o avião está com problemas e pede que todos os passageiros coloquem imediatamente suas máscaras de oxigênio. Em quem você colocaria primeiro?

Se a sua resposta foi no seu filho, errou, pois não teria tempo de cuidar dele se algum outro problema acontecesse no avião. O amor começa em você, e depois no próximo; partindo desse princípio, se você for uma mulher totalmente curada e transformada, toda a sua casa será! Você não precisa mais sofrer tentando mudar seu marido, seus filhos e as pessoas que estão ao seu redor.

Comece a amar-se primeiro, e o seu ambiente será mudado.

ANTES MESMO DA SUA CONCEPÇÃO

22 JUL

"Antes de que te formasse no ventre eu te conheci, e antes que saísses do útero eu te santifiquei, e te ordenei como profeta para as nações."
Jeremias 1:5

Esse amor já é seu antes da sua concepção, é isso mesmo! Ele já a conhecia antes mesmo de você ser concebida, e já te amava! E, antes de você nascer, Ele já a santificou!

Mas, infelizmente, conforme crescemos nos afastamos desse amor e somos desconfiguradas da versão original, cheias de bloqueios, crenças e traumas que carregamos desde pequenas.

O desafio de hoje é olhar para dentro, conectar-se com o seu coração e aceitar esse amor. Esse amor não condiciona você a nada; caso contrário não seria incondicional. Deus não exige de você nenhuma ação sua para amá-la; Ele simplesmente a ama.

Pare de buscar ser amada e valorizada por outras pessoas, pois, quanto mais você procura, menos encontra, aumentando ainda mais o vazio que sente.

Esse é o reflexo que vemos nessa geração de crianças e adolescentes insatisfeitos, suicidas e sem amor ao próximo, porque nunca foram ensinados a encontrar e sentir dentro de si e em seu coração o verdadeiro amor de Deus.

"Ele me ama antes da minha concepção, e nada que eu faça me afastará de Seu amor."

ANOTAÇÕES

23 JUL

TENHA UM LAR, E NÃO APENAS UMA CASA

> *"Toda mulher sábia edifica a sua casa..."*
> **Provérbios 14:1**

"Sou sábia o tempo todo."

ANOTAÇÕES

Por mais que seja desafiador, devemos primeiro ser nossas próprias administradoras segundo a sabedoria que o Senhor tem gerado em nós.

Ter um lar é diferente de ter apenas uma casa. O lar é recheado de amor, carinho, companheirismo e unidade!

Para podermos fazer do nosso lar um ambiente gostoso de viver, onde seu marido e seus filhos tenham prazer de estar, precisamos ser também mulheres agradáveis.

A Palavra diz que a mulher reclamona é como uma torneira que não para de pingar: irrita a todos que estão próximos. Não seja autoritária, mas exerça a sua autoridade de mãe com amor, sem gritos e estresse.

A mulher sábia consegue controlar a sua língua, fala apenas o necessário e contagia a sua família com a alegria original que já está dentro do seu ser.

Comece sendo grata e receba bem o seu marido quando ele chegar em casa. Reserve tempo para você e também para seus filhos. Ore com sua família, não fale mal do seu esposo, respeite o silêncio dele, saiba a hora certa de falar.

Catia Regiely

OS SEGREDOS CONTAMOS APENAS PARA OS AMIGOS

24 JUL

"O Segredo do Senhor é para os que o temem."
Salmos 25:14

Pense agora na sua melhor amiga, naquela pessoa em que você confia para contar todos os segredos. Conseguiu pensar nela?

O Senhor também tem segredos que o céu guarda, e Ele os revela somente para aqueles que o temem. No céu há tesouros, riquezas e muito mais que uma mente humana consegue imaginar. E para acessá-los é preciso construir a mesma intimidade que você tem com a sua melhor amiga. Você tem desejo de saber os segredos do Senhor?

Desafio você, por intermédio dos diálogos com o Senhor, em meio às suas orações e leitura da Palavra, a estreitar esse relacionamento. Não espere para depois, comece agora!

Conte a Deus todos os seus desejos, gratidões, anseios. Confie no Senhor de todo o coração, e Ele confiará em você a ponto de revelar os segredos mais profundos que o céu guarda.

Mergulhar em águas mais profundas é o chamado de Deus para o seu dia de hoje.

"O Senhor revelará os seus mais profundos segredos para mim."

ANOTAÇÕES

25 JUL

EU SOU O QUE SOU

> "Disse Deus a Moisés: 'Eu Sou o que Sou. É isto que você dirá aos israelitas: Eu tenho me enviado a vocês'."
>
> **Êxodo 3:14**

Deus disse a Moisés: "Eu Sou o que Sou". O Senhor fala a você: "Você é exatamente o que eu te criei para ser".

Quantas vezes olhamos para dentro de nós e deixamos os nossos pensamentos nos dominar, dizendo o contrário do que Deus já deixou escrito de quem somos, à sua imagem e semelhança.

No decorrer da nossa vida, vamos sendo rotuladas e adquirindo algumas identidades falsas; uma delas é sobre o que os outros pensam de nós. Os altos e baixos da vida não definem quem somos; somente o que Deus disse que somos, essa sim é a verdadeira identidade com que devemos nos preocupar.

Quantas vezes criamos histórias na nossa mente dizendo somente coisas negativas a nosso respeito e deixando esses pensamentos nos influenciar?

Resgate, dentro de você, a identidade de Deus, mesmo diante de todos os obstáculos que você tem enfrentado. Ele a escolheu para ser virtuosa, vitoriosa, para lidar com as suas emoções e conquistar uma vida plena Nele.

"Eu cultivo pensamentos positivos a meu respeito, pois foi assim que Deus me formou."

ANOTAÇÕES

Catia Regiely

O MEU CORAÇÃO É UM ALTAR

26 JUL

> *"Deus é Espírito, e é necessário que os seus adoradores O adorem em Espírito e em verdade."*
> **João 4:24**

Adorar a Deus é mostrar a dedicação total, amor e respeito por Ele. Ele é o único Deus que existe e o criador de todas as coisas.

Ele é soberano e absoluto! Ele não tem opositor, Ele é o grande Eu Sou.

Se esse opositor existisse, tiraria toda a soberania Dele e diminuiria o Seu poder verdadeiro.

Ser um adorador em Espírito e em verdade não é apenas falar Dele e de Sua Palavra, como vemos nos dias de hoje, mas sim, viver a verdade que Ele nos apresenta.

Levantar o nosso coração como um altar a Ele em adoração e reverência ao único e absoluto Senhor é colocá-Lo no seu devido lugar em nossa vida, em primeiro lugar, e não temer mais nada, uma vez que Ele é soberano e nada pode abatê-lo.

Adore-O o tempo todo, adore de corpo, alma e espírito, sem receios e melindres. Simplesmente O adore!

"O meu coração é o altar de Deus."

ANOTAÇÕES

27 JUL

BUSQUE POR SANTIDADE

> "Segui a paz com todos e a santificação, sem a qual ninguém verá o Senhor."
> **Hebreus 12:14**

"Desejo ver o Senhor em cada passo da minha jornada."

ANOTAÇÕES

A santidade não é uma jornada solitária; é o caminho iluminado pelo Espírito Santo, que nos guia para a presença divina. Mesmo que muitas vezes você acredite que está sozinha, o Espírito Santo está ao seu lado.

Quando abraçamos a santidade e participamos da glória de Deus, testemunhamos Sua manifestação em nossa vida diária. Por isso convido-a a buscar, com diligência, a paz e a santificação, pois é por meio delas que contemplamos a face do Senhor e O conhecemos de maneira mais profunda.

Não podemos imitar alguém que não conhecemos, pois não entendemos quem ele é, nem podemos agir como ele. A santidade nos permite aproximar mais de Deus e nos parecermos com Ele.

Comprometa-se hoje consigo mesma a trilhar o caminho da santificação, buscando a paz e permitindo que o Espírito Santo molde a sua vida.

Catia Regiely

DESCANSO EM MEIO ÀS ADVERSIDADES

28 JUL

"Vinde a mim, todos vós que estais cansados e sobrecarregados, e eu vos aliviarei."
Mateus 11:28

Quais são as adversidades que você tem enfrentado na vida?

Quando estamos no meio da guerra, não conseguimos enxergar o descanso; o nosso olhar fica voltado apenas para as turbulências que estamos vivendo.

Porém, o desafio de hoje é encontrar, em meio às lutas e adversidades, o verdadeiro descanso em Jesus e lançar sobre Ele nossas preocupações, dúvidas, dificuldades e fardos.

Nesse descanso descobrimos a paz que excede todo entendimento, pois é Cristo quem sustenta e fortalece nosso ser. Não estou falando de ficar sem fazer nada para ver o que Deus faz, mas, sim, do descanso de acreditar que Ele é o único que pode ajudá-la a vencer.

Ele é quem convida, ou seja, Ele não afasta ninguém. A nós cabe confiar Nele, por meio de um íntimo relacionamento com Ele, que promete descanso a todo aquele que O procura por meio da fé.

"Encontrei descanso em seu amor e confio que Ele aliviará meu fardo."

ANOTAÇÕES

29 JUL

ESPERANÇA QUE NÃO DESAPONTA

> "Ora, a esperança não se confunde, porque o amor de Deus é derramado em nosso coração pelo Espírito Santo que nos foi dado."
> **Romanos 5:5**

A esperança que temos em Cristo é fundamentada no amor de Deus. Esse amor é derramado em nosso coração pelo Espírito Santo, selando-nos como filhas amadas. Sentir esperança é ter fé. E ter fé é ter a convicção de que você pode trazer à existência o que ainda não existe no mundo natural. Porém, tudo começa no espiritual para poder acontecer no natural.

Em meio às incertezas, nossa esperança deve ser firme, pois entendemos que somos amparadas pelo amor divino e que, independentemente do que aconteça, Ele não se afastará de nós.

Essa esperança é fortalecida por saber que muitos já passaram por incertezas, e o amor de Deus foi o que os salvou.

Em toda situação contrária, não se entregue ao medo e ao desespero; antes, confie firmemente no amor de Deus.

"Declaro que sou fortalecida pelo Espírito Santo, que derrama em mim o amor que não desaponta."

ANOTAÇÕES

A JORNADA DE TRANSFORMAÇÃO INTERIOR

30 JUL

"Não vos conformeis com este século, mas transformai-vos pela renovação da vossa mente, para que experimenteis qual seja a boa, agradável e perfeita vontade de Deus."
Romanos 12:2

A jornada de transformação interior é um caminho diário, e precisamos estar dispostas a trilhá-lo conscientes disso. Quando conquistamos os primeiros resultados, nos motivamos a mergulhar cada vez mais nessa jornada contínua.

Renovar nossa mente, nos distanciar dos padrões mundanos e nos aproximar dos princípios divinos faz parte do primeiro passo desse caminho de paz e liberdade para a sua transformação interior.

Nesse processo de obediência, experimentamos a boa, agradável e perfeita vontade de Deus para nossa vida.

A vontade divina não é o que queremos, mas, sim, o que precisamos viver.

O desafio de hoje é iniciar essa jornada de transformação interior nos afastando dos moldes mundanos para viver o que Deus tem para nós; com base nesse posicionamento, você poderá viver os resultados extraordinários.

"Desejo viver segundo a vontade de Deus, renovando a minha mente."

ANOTAÇÕES

31 JUL

A PAZ QUE SUPERA O ENTENDIMENTO

> "E a paz de Deus, que excede todo entendimento, guardará o vosso coração e a vossa mente em Cristo Jesus."
>
> **Filipenses 4:7**

A paz de Deus transcende as circunstâncias e vai além da compreensão humana. É como se você estivesse numa guerra, onde muitos perdem a vida, mas o medo não a aterroriza, os vacilos dos homens não a decepcionam. Podemos estar na mais dura tempestade, mas a certeza de que você tem um Deus que cuida de tudo é tão grande que nada abala as suas estruturas.

Essa paz encontrada em Cristo guarda nosso coração e nossa mente. Para viver essa paz de que estou falando, é preciso confiar Nele. Ao confiarmos, experimentamos uma paz que vai além das turbulências, trazendo serenidade ao nosso ser.

Essa paz não é circunstancial, ela não depende de situação contrária ou favorável para se estabelecer, ela é estabelecida em Deus, em seu amor e em nossa confiança Nele.

O desafio de hoje é olhar para as incertezas e para as tempestades que você tem vivido, fechar seus olhos e sentir a paz que vem de Deus e excede todo entendimento, encontrando tranquilidade em Seu amor.

> **"Eu tenho um Deus que cuida de tudo, e nada abala as minhas estruturas."**

ANOTAÇÕES

AGOSTO

01 AGO

ALEGRIA DA SALVAÇÃO

"Alegrai-vos sempre no Senhor; outra vez digo, alegrai-vos."
Filipenses 4:4

"Eu escolho alegrar-me no Senhor, encontrando contentamento na minha salvação."

ANOTAÇÕES

A alegria do Senhor é nossa força. Mas como estar alegre se, em um dia mau, nos sentimos tristes e até mesmo fracas? Como nos sentirmos fortes se a única vontade é de chorar e buscar alguém que nos escute e dê o seu ombro?

É claro que sempre temos aquelas pessoas em quem podemos confiar, e que também poderão nos oferecer colo e ajuda, mas é a pessoa do Espírito Santo que nos dará a alegria e a força para vencer esse momento.

Alegrar-se Nele não é condicional às situações, mas uma escolha consciente de confiar em Seu amor. Essa alegria transcende as dificuldades, pois encontramos contentamento em nossa salvação e na presença constante do Senhor.

A alegria não deve estar condicionada a situações favoráveis; ela deve sempre ser estabelecida e fortalecida na presença do Senhor em nossa vida.

Desafio você hoje a fazer da alegria um estado de consciência constante. Mesmo que a sua vontade seja de gritar ou chorar, pode fazer, porém com o seu coração em Cristo e alegre Nele.

Catia Regiely

REFÚGIO EM MEIO ÀS TEMPESTADES

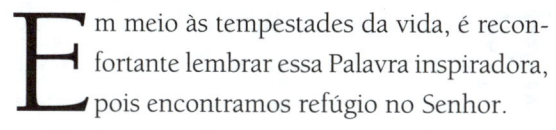

> "O Senhor é bom, é fortaleza no dia da angústia e conhece os que nele se refugiam."
> **Naum 1:7**

Em meio às tempestades da vida, é reconfortante lembrar essa Palavra inspiradora, pois encontramos refúgio no Senhor.

Ela é um convite a encontrarmos força e conforto na fé, mesmo nas situações que parecem maiores que a nossa capacidade de enfrentá-las. Sua segurança é nossa fortaleza, o Senhor nos assegura que Ele é o nosso refúgio e que conhece intimamente aqueles que Nele estão e Nele depositam a sua confiança. Conhecer aqueles que se refugiam Nele é mais que uma consciência; é uma conexão íntima e pessoal. Ao buscarmos o Seu abrigo, somos reconhecidas, amadas e cuidadas.

A bondade do Senhor é como um farol que brilha mesmo nas noites mais escuras. Ele é a rocha inabalável em que podemos firmar nossos pés e ancorar o barco.

Os dias bons nos permitem ver Deus; os maus dias nos permitem confiar Nele acima de tudo.

"Em meio às lutas do dia a dia, encontro refúgio no Senhor."

ANOTAÇÕES

03 AGO

BUSCANDO A FACE DE DEUS

"Buscar-me-eis e me achareis quando me buscardes de todo o vosso coração."

Jeremias 29:13

Buscar a face de Deus é estar sensível e totalmente rendida aos Seus pés. É viver a Palavra diariamente, com sinceridade e de todo o coração.

Quando você perde algum objeto na sua casa, começa a procurar e uma hora você acha, certo? Assim é com a face de Deus: a partir do momento em que você começar a procurar, você vai encontrar.

Ele deixa claro que aquele que O busca de todo o seu coração O encontrará. Essa promessa divina é um convite a uma vida de profunda intimidade com Ele. A busca por essa presença não deve ser forçada, mas deve ser feita de maneira intencional e de todo o coração. Um exemplo de como fazer essa busca é dedicar um tempo exclusivo na presença Dele e de Sua Palavra todos os dias, assim como você tem feito com este livro devocional.

Abrace a certeza de que a verdadeira conexão se encontra na entrega total a Ele, e ao direcionar todo o seu ser nessa busca certamente encontrará a plenitude.

"Meu coração é a bússola, e a busca é a jornada para a verdadeira realização."

ANOTAÇÕES

Catia Regiely

O CUIDADO

04 AGO

"O Senhor é o meu pastor; nada me faltará."
Salmos 23:1

Imagine um pastor que guia suas ovelhas com amor e sabedoria, garantindo que nada lhes falte. Da mesma forma, nosso Pastor Divino nos conduz com graça e zelo. Nas pastagens da vida, enfrentamos vales sombrios e montanhas íngremes, mas a promessa do Pastor é: "nada nos faltará". Ele nos guia com sabedoria e nos sustenta com seu amor. E, com confiança, seguimos sua liderança, sabendo que estamos seguras sob sua proteção. Muitas são as decisões do dia a dia e muitos são os conselheiros, mas devemos confiar Naquele que é o nosso Pastor: o Senhor. Cada necessidade, cada anseio é conhecido por Ele, que provê com abundância. Ele não apenas guia, mas também cura as feridas e restaura a alma. O Senhor não é apenas um líder, mas um guardião atencioso, preocupado com cada detalhe da nossa jornada.

Seu cuidado é completo, Seu amor é inesgotável.

Confie nessa verdade e permita que a paz que excede todo entendimento encha o seu coração.

"Nada me falta, pois Ele me guia com sabedoria e me sustenta com seu amor constante."

ANOTAÇÕES

05 AGO

> "...Eu sou a luz do mundo; quem me segue não andará nas trevas, mas terá a luz da vida."
>
> **João 8:12**

"Eu escolho seguir Jesus, a luz do mundo."

ANOTAÇÕES

A LUZ QUE DISSIPA A ESCURIDÃO

Jesus é a luz que dissipa as trevas em nossa vida. Ao segui-Lo, encontramos a verdadeira luz que guia nossos passos.

Em Cristo superamos as trevas, pois Ele é a luz que nos conduz à plenitude e à esperança.

Uma lâmpada tem o poder de iluminar um quarto escuro. Nos passos de quem escolhe seguir essa luz, a escuridão é obrigada a se dissipar. Há uma grandiosa verdade em crermos que Cristo, a Luz da Vida, pode afastar toda escuridão, toda treva em nossa vida.

Essa promessa resplandece como um farol na noite escura das nossas incertezas. Seguir o caminho iluminado por essa luz é abraçar o amor em vez de abraçar a confusão; a esperança em vez do desespero.

O Senhor deseja ser o seu guia seguro, apontando para uma história cheia de significados. Se você hoje deseja também experimentar caminhar na esteira dessa luz, creia que Ele revelará a essência verdadeira de sua existência.

Catia Regiely

VENCENDO O PAVOR COM FÉ

06 AGO

"Não temas, porque eu sou contigo; não te assombres, porque eu sou teu Deus; eu te fortaleço, e te ajudo, e te sustento com a minha destra fiel."
Isaías 41:10

Nos momentos de temor, é natural buscarmos refúgio. No entanto, a Palavra nos garante que não estamos sozinhas. O medo pode ser paralisante, mas a fé, essa luz interior, nos guia além das sombras. Isaías 41:10 é um bálsamo para a alma apreensiva. Deus nos encoraja a não temer, pois Sua presença é nossa força. Quando nos sentimos frágeis, Ele nos fortalece. Quando a escuridão ameaça, Sua destra fiel nos sustenta.

Encare seus medos não como obstáculos intransponíveis, mas como oportunidades para experimentar a profundidade da confiança em Deus. Em vez de permitir que o medo dite seus passos, permita que a fé a guie. Afinal, a verdadeira coragem não é a ausência de medo, mas a determinação de seguir em frente, confiando Naquele que nos prometeu Sua presença constante.

Hoje, desafie-se a enfrentar aquilo que a amedronta, sabendo que o Criador do universo está ao seu lado. Sua fé é a chave que transforma o medo em coragem, a incerteza em esperança.

"Não há sombra que a presença de Deus não dissipe."

ANOTAÇÕES

07 AGO

DOMINE A IRA

> *"Mais vale o homem paciente do que o guerreiro, mais vale controlar o seu espírito do que conquistar uma cidade."*
> **Provérbios 16:32**

A ira é uma tempestade que ameaça devastar relacionamentos e ofuscar a luz da paz interior. Entretanto, a Palavra nos lembra que o verdadeiro poder está na capacidade de controlar nossas emoções. Provérbios 16:32 revela a sabedoria divina: um espírito paciente é mais importante que a conquista de uma cidade. Quando permitimos que a ira nos domine, perdemos a verdadeira batalha. Controlar a ira não é sinal de fraqueza, mas, sim, de força sobrenatural que nos capacita a amar, perdoar e crescer.

Cultivar o controle emocional não significa suprimir sentimentos, mas canalizá-los de maneira que glorifique a Deus. Jesus, nosso modelo de santidade, demonstrou serenidade mesmo diante das maiores provas. A ira não pode governar onde o amor de Cristo habita. No controle, encontramos paz, que transcende o entendimento, e essa paz é uma testemunha poderosa do nosso relacionamento com Deus.

"Aquietemos nosso coração, buscando a paz que só Deus pode oferecer."

ANOTAÇÕES

Catia Regiely

ELE É A PAZ

08 AGO

"E a paz de Deus, que excede todo o entendimento, guardará o vosso coração e vossa mente em Cristo Jesus."
Filipenses 4:7

A paz de Deus é um presente divino que ultrapassa nossa compreensão. Ela não é apenas a ausência de conflito, mas uma presença constante que acalma as ansiedades e oferece conforto. Uma paz que vai além da lógica humana, uma serenidade que não está vinculada às condições externas.

Ela guarda nosso coração e nossa mente em Cristo Jesus.

Em um dia mau, de circunstância contrária, de adversidade, nossa fé e confiança devem estar no Senhor, no Seu amor e em Seu poder para podermos desfrutar dessa paz que realmente tem o poder de se estabelecer acima de qualquer situação.

Essa compreensão nos traz consolo e nos lembra que, mesmo nos momentos mais difíceis, há uma paz transcendental disponível para aqueles que O buscam. Medite em Deus como a fonte da paz e encontre um oásis interior em seu coração.

Faça uma reflexão no dia de hoje sobre quais têm sido as suas buscas.

"Meu coração e minha mente são guardados em Cristo Jesus e encontram a paz necessária em Seu amor."

ANOTAÇÕES

09 AGO

"E eu, Senhor, que espero? Tu és a minha esperança."
Salmos 39:7

"Ele é minha rocha eterna. Firmo a minha esperança Nele, renovando e revigorando minha alma."

ANOTAÇÕES

A FONTE DE ESPERANÇA INABALÁVEL

Em quem você deposita a sua esperança? Se você está firmando a sua esperança em situações e pessoas, garanto-lhe que está construindo a sua casa sobre a areia, e logo ela vai desmoronar. Para construir a sua casa numa rocha firme, você deve pautar a sua esperança em Cristo. Não há outro caminho para o descanso verdadeiro.

Quando pautamos nossa esperança Nele, renovamos as nossas forças para enfrentar os desafios da vida, somos revigoradas e fazemos cumprir a promessa em que Jesus nos diz que somos mais que vencedoras.

Ele é a nossa rocha eterna! Você pode acreditar em si mesma, em pessoas ou em situações; primeiramente mantenha sempre a sua confiança e firme convicção em Deus.

Que cada passo seu seja firme para que em meio às perguntas da vida encontre a resposta clara Nele, o seu farol na escuridão.

Catia Regiely

A VIDA TRANSFORMADA POR CRISTO

Em Cristo, experimentamos uma transformação completa. Ao embarcarmos na jornada com Cristo, nascemos para uma nova vida que transcende as limitações do passado. As correntes que nos prendiam aos erros e arrependimentos são quebradas, dando lugar a um horizonte de possibilidades renovadas.

A graça de Cristo não apenas perdoa, mas transforma. As imperfeições são substituídas por uma nova identidade, moldada pela compaixão e pelo amor divinos. As velhas cicatrizes cedem espaço a uma história reescrita, marcada pela redenção e por propósito.

Essa é a verdadeira mudança: deixamos para trás as velhas maneiras de viver, os velhos costumes, os antigos hábitos. O novo gera em nós novos pensamentos, comportamentos e atitudes. Essa renovação é um presente divino que nos capacita a viver uma vida compatível com a vontade de Deus.

Que essa verdade inspire uma profunda gratidão e compromisso em sua nova vida e que com gratidão você trilhe um caminho de luz e plenitude.

10 AGO

"Assim que, se alguém está em Cristo, nova criatura é; as coisas velhas já passaram; eis que tudo se fez novo."
2Coríntios 5:17

> "Em Cristo, tudo se fez e se faz novo."

ANOTAÇÕES

11 AGO

> "Então ele me disse: 'Minha graça te basta, porque o poder se aperfeiçoa na fraqueza'."
> **2Coríntios 12:9**

A FONTE DE FORÇA EM NOSSAS FRAQUEZAS

Em nossas fraquezas encontramos a suficiência na graça de Deus. Assim como a luz se destaca nas trevas, a graça de Deus resplandece em nossas fraquezas. Ela nos sustenta, capacita e renova em cada desafio que enfrentamos. A graça divina é suficiente e nos basta.

O poder da graça se manifesta plenamente quando reconhecemos nossa dependência em Deus. Quando tudo parece desfavorável, quando parece que não temos força, que estamos fracas, em humildade, confiamos na graça que nos capacita a enfrentar desafios e viver em vitória.

Existe algo extraordinário em entender que, quando não posso, Ele pode. Isso é realmente transformador!

Convido você a deixar que essa verdade lhe inspire ainda mais confiança, principalmente em seus momentos de fragilidade. Na sua dependência Dele, você experimentará a verdadeira libertação e poderá testemunhar o poder divino manifestado em sua vida.

> "Em minhas fraquezas Seu poder se manifesta, capacitando-me a enfrentar desafios com confiança."

ANOTAÇÕES

Catia Regiely

A BUSCA PELA JUSTIÇA DE DEUS

12 AGO

"Buscai, pois, em primeiro lugar o Reino e a sua justiça, e todas estas coisas vos serão acrescentadas."
Mateus 6:33

Esse texto é um verdadeiro manual de vida! A busca pelo Reino de Deus deve ser prioridade em nossa jornada espiritual, física, emocional e mental. Ao alinharmos nossas prioridades com os valores celestiais, a provisão divina se manifesta de maneiras extraordinárias, e passamos a viver as surpresas de Deus.

Precisamos ter a consciência de estabelecer os princípios do Reino e da justiça do Reino de Deus em todas as áreas da nossa vida. Essa consciência nos ajuda a ter foco no que é verdadeiramente importante para a justiça divina e a passar a agir com integridade e compaixão.

Ao colocarmos o Reino de Deus em primeiro lugar, experimentamos Sua justiça, que nos guia, sustenta, orienta e fortalece, a fim de encontrarmos a plenitude da vida e a paz em Deus. Cremos que todas as demais coisas serão naturalmente acrescentadas.

"Priorizo, hoje, o Reino; e todas as demais coisas são acrescentadas, encontrando a plenitude da vida em Deus."

ANOTAÇÕES

13 AGO

A CONFIANÇA NA PROVIDÊNCIA DIVINA

"Entrega o teu caminho ao Senhor; confia nele, e o mais ele fará."
Salmos 37:5

"Ele é capaz de agir além da minha compreensão, e descanso em Sua soberania, confiante em Suas decisões."

ANOTAÇÕES

Uma verdadeira bússola para a nossa alma, que nos guia na confiança plena de que Deus sempre está no controle. Ao entregarmos nossos caminhos ao Senhor, depositamos nossa confiança e expectativas Nele, e não mais nas circunstâncias que estamos vivendo.

Ele é capaz de agir de maneiras que ultrapassam nossa compreensão. A confiança em Deus nos permite descansar em Sua soberania, entregar todas as nossas ansiedades confiando que Ele trabalha em nosso benefício e cuida com amor infinito. Mas essa entrega tem de ser verdadeira, fiel e absoluta; não podemos confiar em partes.

A promessa de que "o mais ele fará" é um lembrete do poder transformador da confiança. É a confiança que abre portas, remove obstáculos e revela um propósito mais profundo.

Convido você hoje a praticar constantemente a entrega total a Ele, para experimentar a promessa descrita no texto, pois, ao entregar cada preocupação, encontramos uma parceria divina que nos conduz a um destino cheio de graça e propósito.

A FONTE DA VIDA ABUNDANTE

14 AGO

"...Eu vim para que tenham vida e a tenham com abundância."
João 10:10

Essa expressão vai além da mera existência; é um convite à plenitude e à profundeza da experiência humana. A promessa de uma vida abundante não se resume à mera acumulação de bens materiais, mas, sim, a uma riqueza que permeia os lugares mais profundos da nossa alma.

Quando internalizamos os ensinamentos divinos, descobrimos que a verdadeira abundância transcende as conquistas terrenas. É uma riqueza espiritual que se manifesta no amor incondicional, na compaixão profunda e na empatia sincera.

Desafio você a buscar não apenas uma existência, mas uma vida que transborde significado e propósito. O Senhor a convida a viver plenamente, desfrutando de sua presença constante para que, ao nos rendermos a Ele, possamos experimentar a plenitude da verdadeira vida abundante que Ele deseja nos conceder.

"Ao me render a Ele, experimento a vida abundante que Sua presença constante me garante."

ANOTAÇÕES

15 AGO

PARA AQUELES QUE O AMAM

> "E sabemos que todas as coisas são designadas especialmente para o bem daqueles que amam a Deus, aqueles que são chamados segundo o Seu propósito."
> **Romanos 8:28**

Deus utiliza todas as circunstâncias da vida para o bem daqueles que O amam e são chamados por Ele. No texto está escrita a palavra "todas"; entendemos então que não é uma situação ou algumas, mas, sim, *todas* as circunstâncias que não forem tão boas assim, ou mesmo as que forem terríveis; é para o seu bem.

Mesmo nas situações desafiadoras, suas exceções operam para nosso benefício. Em suas orações, entregue a Deus suas declarações, confiando em Sua soberania.

Reconheça que, mesmo quando não compreendemos os eventos, Deus está trabalhando nos bastidores para cumprir Seu propósito e nos conduzir a um futuro de esperança.

A promessa de que "todas as coisas são designadas especialmente para o bem" é um recado de que nenhum detalhe escapa ao cuidado divino. Em momentos de incerteza, podemos confiar que Deus está tecendo um belo propósito, alinhado com Seu amor e sabedoria.

> **"Deus trabalha em meu favor, conduzindo-me segundo o Seu propósito."**

ANOTAÇÕES

Catia Regiely

O MEU CONSOLADOR ESTÁ SEMPRE COMIGO

16 AGO

"E eu rogarei ao Pai, e ele vos dará outro Consolador, a fim de que estejas para sempre convosco."
João 14:16

Jesus está com os seus discípulos, prometendo enviar o Consolador, o Espírito Santo.

Nesse contexto, Jesus antecipou Sua partida, acompanhando a necessidade de conforto e orientação para os seguidores. O versículo destaca a natureza constante e íntima da presença divina em nossa vida.

O termo "Consolador" expressa a função do Espírito Santo como aquele que fortalece, encoraja e auxilia. A promessa ressalta a continuidade da relação entre Deus e Seu povo, agora através do Espírito Santo.

Essa promessa não apenas assegura a presença contínua de Deus na nossa jornada, mas também destaca o papel vital do Espírito Santo em guiar, consolar e nos sustentar em todo o tempo após a ascensão de Jesus ao céu.

A transformação pelo poder do Espírito Santo é um presente divino. O Consolador, que permanece conosco para sempre, capacita-nos a viver de acordo com a vontade de Deus.

"Eu permito que o Espírito Santo opere em mim, para eu experimentar uma transformação."

ANOTAÇÕES

17 AGO

> *"Posso todas as coisas naquele que me fortalece."*
> **Filipenses 4:13**

SUPERANDO O DESÂNIMO

Em meio às lutas diárias, o desânimo pode bater à nossa porta, tentando nos enfraquecer. Contudo, a Palavra nos lembra que em Deus somos fortalecidas. Quando o peso parecer insuportável, lembre-se de Filipenses 4:13. Não estamos sozinhas; o Senhor nos capacita para vencer qualquer desafio. Às vezes precisamos parar, respirar fundo e nos reconectar com a fonte inesgotável de força que é o nosso Pai Celestial. Ele é nossa fonte de ânimo, renova nossas energias quando nos sentimos esgotadas. Apegue-se a Ele com fé inabalável, pois em Sua presença encontramos a motivação para seguir em frente.

Lembre-se de que os momentos difíceis não são permanentes, mas o amor de Deus é. Ele transforma desânimo em esperança, restaurando nossa alegria. Em Sua graça encontramos a determinação para enfrentar cada novo dia com coragem. Portanto, levante-se, pois você é mais forte do que imagina. O desânimo pode tentar, mas o poder de Deus em você é maior. Confie Nele, pois Ele é uma fonte inesgotável que renova nossas forças a cada manhã.

> **"Renove sua fé diariamente, pois na presença de Deus encontramos força."**

ANOTAÇÕES

Catia Regiely

A ALEGRIA INABALÁVEL

18 AGO

"Regozijai-vos sempre. Orai sem cessar. Em tudo, dai graças, porque esta é a vontade de Deus em Cristo Jesus para convosco."
1 Tessalonicenses 5:16-18

É nos altos e baixos da vida que somos desafiadas a abraçar a alegria que transcende as circunstâncias. Somos instruídas a "regozijar sempre". Isso não é uma sugestão, mas um convite divino para encontrarmos alegria em todos os momentos.

A alegria que a Palavra nos propõe não está condicionada à ausência de problemas, mas é uma expressão de confiança na soberania de Deus. Ao orarmos sem cessar, mergulhamos na comunhão com o Pai, que nos sustenta em meio às tempestades. A gratidão, expressa em todas as situações, é o antídoto para a amargura e o combustível para a alegria perene.

Nossa alegria não é apenas um sentimento passageiro, mas uma resposta à certeza de que Deus está no controle. Mesmo quando as lágrimas fluem, há uma esperança que nos impulsiona a regozijar. Cada desafio é uma oportunidade para experimentar a fidelidade divina e testemunhar o milagre da alegria em meio à adversidade.

"Regozijar é a chave da vida plena. Em Deus, a alegria é inabalável."

ANOTAÇÕES

19 AGO

> *"Assim, fixamos os olhos, não naquilo que se vê, mas no que não se vê, pois o que se vê é transitório, mas o que não se vê é eterno."*
>
> **2Coríntios 4:18**

"Viva além do agora: sua história é eterna!"

ANOTAÇÕES
_____
_____
_____
_____
_____
_____
_____
_____

A PERSPECTIVA ETERNA

Paulo nos lembra da importância de fixarmos nossos olhos na perspectiva eterna, pois o que se vê é transitório, mas o que não se vê é eterno (2Coríntios 4:18).

Em meio às incertezas do mundo, somos desafiadas a enxergar além do visível. Ao focarmos no que é eterno, encontramos uma âncora para nossa alma.

O visível, muitas vezes, é assustador e passageiro, mas a realidade eterna é segurança e firmeza. Essa perspectiva nos capacita a enfrentar desafios com esperança, pois nossa confiança está na promessa eterna de Deus.

As tribulações que enfrentamos agora são temporárias, mas a glória eterna que nos aguarda é incomparável. Mesmo em meio aos desafios, podemos olhar além do agora e encontrar esperança na certeza de que Deus está construindo algo eterno em nós. Cada lágrima, cada sacrifício molda nosso caráter para a eternidade. Não deixemos que as circunstâncias nos distraiam; vivamos com a certeza de que há um propósito eterno em cada experiência.

Enxergue além das situações imediatas, buscando alicerçar sua fé no que permanece inabalável. Que essa perspectiva fortaleça sua jornada diária.

PAI E MÃE: TESOUROS DO CÉU

20 AGO

"A Palavra de Deus nos orienta (...)."
Provérbios 6:20

O papel do pai é comparado ao de um mestre, proporcionando orientação, proteção e exemplo. Efésios 6:4 exorta os pais: "E vós, pais, não provoqueis vossos filhos à ira, mas criai-os na disciplina e na admoestação do Senhor". A responsabilidade do pai é criar um ambiente de amor e aprendizado, fundamentado nos princípios de Deus.

A mãe, por sua vez, é frequentemente associada ao cuidado e à ternura. Isaías 66:13 expressa o coração de Deus: "Como alguém a quem consola sua mãe, assim eu vos consolarei; e em Jerusalém vós sereis consolados". A mãe é um reflexo do amor acolhedor de Deus, oferecendo conforto e apoio.

Juntos, pai e mãe formam uma equipe vital na formação espiritual, emocional e física de seus filhos. É uma visão de parceria e respeito mútuo.

Eu desejo que o seu lar seja fundamentado nos princípios divinos, criando um ambiente onde os filhos possam crescer e florescer para a glória de Deus.

"Eu como mãe busco inspiração na Palavra de Deus para orientar meus filhos com amor, sabedoria e graça."

ANOTAÇÕES

21 AGO

A SUA MÃO SEGURA

"Porque eu, o Senhor, teu Deus, te tomo pela tua mão direita e te digo: Não temas, que eu te ajudo."
Isaías 41:13

"Deus, minha rocha eterna."

ANOTAÇÕES

Deus nos toma pela mão direita. Você consegue imaginar essa imagem? É muito forte!

Uma expressão poderosa da orientação e do cuidado divino em meio às nossas ansiedades. A mão direita é símbolo de força e proteção.

Deus, em Sua soberania, segura a sua mão, garantindo que você não enfrentará nenhum desafio sozinha. Assim como um pai toma a mão da sua filha para guiá-la e assegurá-la, nosso Pai Celestial faz o mesmo conosco. Somos as meninas dos olhos Dele.

A promessa "Não temas, que eu te ajudo" nos convida a confiar plenamente na ajuda do Senhor.

Em meio às tempestades da vida, lembre-se: a mão do Senhor segura a sua. Quando os ventos da incerteza sopram forte, a promessa divina ecoa: "Não temas, eu te ajudarei". Deus não apenas vê as lágrimas que caem silenciosamente, mas Ele as enxuga com Sua graça. Sua mão é um refúgio seguro, um abrigo inabalável nos momentos de aflição. Nos desertos da solidão, Ele caminha ao seu lado, guiando seus passos. Não há obstáculo grande demais, pois a mão que sustenta os céus também sustenta você. Confie, pois o Criador do universo se torna o seu constante companheiro.

Catia Regiely

O AMOR PERFEITO

22 AGO

> "No amor não há medo; ao contrário, o perfeito amor expulsa o medo, porque o medo implica castigo. Aquele que tem medo não está aperfeiçoado no amor."
> **1João 4:18**

Quais são os seus medos? Hoje quero convidá-la a entender que o medo é a ausência de amor, ou a presença de um amor terreno, com suas falhas e limitações.

O amor divino é o antídoto para o medo. Quando estamos enraizadas no amor perfeito de Deus, não somos dominadas pelo medo que aprisiona, mas somos libertadas para viver com confiança e coragem.

O amor que vem de Deus tem o poder de dissipar o medo. Ele é uma força que nos liberta da escravidão do medo, garantindo-nos que sejamos amadas incondicionalmente.

Olhe para o modelo do amor divino e perfeito e apoie-se nele, experimentando esse amor sem reservas, sem limitações, sem crenças negativas. Tenha esse amor como referência para a sua vida e viva o amor terreno de maneira mais leve e sem medo.

Quando compreendemos o amor divino, somos capacitadas a enfrentar o desconhecido com coragem. O amor perfeito de Deus não apenas acalma nossas ansiedades, mas nos dá confiança para vivermos sem temor.

"No amor perfeito de Deus, encontro coragem para vencer o medo."

ANOTAÇÕES

23 AGO

> *"Em todo o tempo ama o amigo e na angústia se faz o irmão."*
> **Provérbios 17:17**

> **"Existem amigos mais chegados que irmãos."**

ANOTAÇÕES

_____
_____
_____
_____
_____
_____
_____
_____

A PRECIOSIDADE DA AMIZADE

A amizade, muitas vezes, é um reflexo do amor de Deus. Jesus nos chama de amigos em João 15:15, revelando Sua intimidade conosco. Em momentos alegres e desafiantes, a verdadeira amizade se destaca, sendo uma bênção que compartilhamos ao longo da jornada.

Você é amiga do Senhor? Comemore essa amizade e expresse a sua gratidão pelos amigos que Deus colocou em seu caminho. Cultive relacionamentos baseados no amor, na lealdade e no apoio mútuo, inspirados pelo exemplo divino.

A amizade é um presente precioso, uma dádiva que torna a vida mais rica e significativa.

Celebre esse dia de forma diferente, honrando aqueles que caminham com você, valorizando os verdadeiros laços que resistem ao teste do tempo e das circunstâncias.

Catia Regiely

MEU PAI, MEU HERÓI?

24 AGO

"E vós, pais, não provoqueis vossos filhos à ira, mas criai-os na disciplina e na admoestação do Senhor."
Efésios 6:4

O título da mensagem de hoje é uma verdade para você ou não? Nossos pais têm a autoridade para nos liberar para a vida, e, quando não temos essa presença ativa ao nosso lado, ficamos com um vazio, sem entender, muitas vezes, por que algumas áreas da nossa vida não avançam.

Ser pai é uma responsabilidade divina que destaca a influência profunda que os pais têm na formação espiritual e emocional de seus filhos.

Qual a imagem que você tem do seu pai hoje? Qual a palavra que definiria o seu pai hoje? Pense numa palavra.

Os pais são chamados a espelhar esse amor, oferecendo guia, disciplina e encorajamento em um ambiente de graça e verdade.

Mesmo que tenha enfrentado a dor da ausência paterna, saiba que Deus é o Pai perfeito que nunca abandona. Seu amor é constante, sua presença é eterna. Ele acolhe você em seus braços, trazendo consolo às feridas deixadas pela ausência terrena. Quando o vazio parece insuperável, lembre-se de que Deus é o Pai que preenche todos os espaços, restaurando a esperança e guiando seus passos com amor incondicional.

"O Pai Celestial é a presença constante que cura as ausências humanas."

ANOTAÇÕES

25 AGO

BELEZA INTERIOR

"A beleza de vocês não deve estar nos enfeites exteriores, como cabelos trançados e joias de ouro ou roupas finas. (...)"
1Pedro 3:3-4

"Eu sou linda aos olhos de Deus!"

ANOTAÇÕES

A Palavra de Deus nos revela uma verdade profunda sobre a verdadeira beleza. Essas palavras nos chamam a transcender a mera aparência exterior e a buscar uma beleza que emana do coração. Enfeites e adornos são passageiros, mas a beleza de um espírito dócil, tranquilo e voltado para Deus é eterna.

Como está o seu interior? Você tem adornado o seu espírito e as suas emoções?

Convido você, mulher, a valorizar e cultivar a beleza interior. Um coração cheio de compaixão, amor e paz é precioso aos olhos de Deus. Que você entenda que a beleza vai muito além das superficialidades do mundo. Reflita a luz do Espírito Santo em suas atitudes e caráter.

Esforce-se para ser mais parecida com Cristo, manifestar a verdadeira beleza, que é de grande valor para Deus.

Seja testemunha da transformação interior que só Ele pode realizar, tornando-se verdadeiramente bela aos olhos Daquele que nos criou e nos ama infinitamente.

O PODER DA MULTIPLICAÇÃO

26 AGO

"Deus é poderoso para fazer infinitamente mais do que tudo quanto pedimos ou pensamos, conforme o Seu poder que opera em nós."
Efésios 3:20

Mulheres extraordinárias, imaginem um Deus que não apenas atende nossas orações, mas ultrapassa nossos maiores sonhos. Deus é o Deus da multiplicação, capaz de transformar o pouco que temos em abundância. Assim como Jesus multiplicou os pães e peixes para alimentar uma multidão, Ele deseja multiplicar nossa vida de maneiras inimagináveis.

Quando confiamos nossos recursos, dons e tempo a Deus, Ele os multiplica. Às vezes nos sentimos limitadas pelos nossos próprios meios, mas Deus nos lembra que Sua graça opera nos espaços onde a nossa capacidade termina. Ele não apenas cumpre nossas expectativas, mas vai além, surpreendendo-nos com a abundância de Sua providência.

Ao confiarmos em Deus, Ele não só multiplica nossos recursos materiais, mas também nossas virtudes, alegrias e oportunidades. Ele é capaz de transformar a simplicidade de nossa vida em algo extraordinário. Portanto, não se preocupe com a magnitude do que você possui, mas entregue tudo a Deus, confiando em Seu poder de multiplicação.

"Confie, Ele multiplica!"

ANOTAÇÕES

27 AGO

VISTA-SE DE FORÇA E DIGNIDADE

"A força e a dignidade são os seus vestidos, e, quanto ao dia de amanhã, não tem preocupações."
Provérbios 31:25

"Força e dignidade são os meus vestidos."

ANOTAÇÕES

Essa mensagem pinta um retrato inspirador da mulher virtuosa, celebrando não apenas a força física, mas também a força interior, aquela que emana da confiança em Deus e da sabedoria que vem Dele.

A mulher virtuosa não teme o futuro, pois confia plenamente no Senhor. Suas vestes são feitas de confiança, graça e sabedoria divina.

Você tem a mesma força e dignidade que essa mulher! Deus é o seu guia e sustento, e a preocupação com o amanhã não precisa estar em seu coração, pois é Ele quem lhe provê.

Assim como a mulher virtuosa é celebrada por sua força e dignidade, que você possa viver uma vida que reflete essas virtudes.

Que as vestes que escolhemos diariamente sejam feitas da graça de Deus, capacitando-nos a enfrentar cada dia com confiança e serenidade, sabendo que Ele cuida de nós e nos dá a força necessária para enfrentar o futuro.

Catia Regiely

VOCÊ NÃO É ESQUECIDA

28 AGO

"Pode uma mãe esquecer seu bebê que ainda mama e não ter compaixão do filho que gerou? Embora ela possa esquecê-lo, eu não me esquecerei de você!"
Isaías 49:15

Em meio às tempestades da vida, saiba que o Deus Todo-poderoso, que esculpiu os céus, jamais se esqueceu de você. Em momentos de solidão ou incerteza, quando as lágrimas escorrem silenciosamente, Ele está lá, segurando cada uma delas. Assim como uma mãe não esquece seu filho, Deus não esquece seus anseios, suas lutas e cada detalhe que compõe quem você é.

Nos dias difíceis, quando parece que a obscuridade prevalece, lembre-se de que você é a obra-prima do Criador. Ele a conhece intimamente, compreende seus sonhos e conhece cada fio de sua história. Mesmo quando tudo parece desmoronar, Ele está trabalhando nos bastidores para tecer um plano magnífico para sua vida.

Deus não apenas se lembra de você; Ele a escolheu. Suas batalhas não passam despercebidas, e suas lágrimas não são esquecidas. Confie no Deus que nunca perde de vista Seus amados. Ele está moldando cada capítulo de sua vida para revelar Sua graça e amor inabaláveis.

"Você é a Promessa Divina!"

ANOTAÇÕES

29 AGO

VOCÊ É OUSADA!

> "Porque Deus não nos tem dado espírito de covardia, mas de poder, de amor e de moderação."
>
> **2Timóteo 1:7**

"Eu tenho o espírito do poder, do amor e da moderação em minha vida."

ANOTAÇÕES

Quero lembrar você do presente precioso que Deus nos deu: o espírito de poder, amor, moderação e ousadia! É um verdadeiro chamado à coragem, ao amor incondicional e ao equilíbrio divino.

Não somos destinadas à covardia, mas, sim, capacitadas pela presença divina para superar adversidades, enfrentar medos e caminhar com ousadia.

O amor é o componente essencial desse espírito. Ame como Cristo nos amou, sem reservas e com compaixão, irradiando a luz divina em um mundo muitas vezes carente de amor genuíno.

Manifeste, em sua jornada, a moderação, mantendo o equilíbrio em todas as áreas. E aprenda com a graça de Deus a viver com sabedoria, evitando extremos e seguindo a senda do meio-termo.

Essa é uma promessa diretamente da fonte da nossa inspiração e encorajamento. Que você viva com confiança, impulsionada pelo poder divino, envolvida pelo amor de Cristo e guiada pela moderação que só Ele pode proporcionar.

FÉ INABALÁVEL

30 AGO

Esse é um poderoso exemplo de fé e resposta divina. Uma mulher, em desespero pela saúde de sua filha, persiste diante de Jesus, e Ele responde: "Ó mulher, grande é a tua fé! Seja isso feito para contigo como tu desejas. E desde aquela hora a sua filha ficou sã".

Essa passagem nos lembra da importância da fé inabalável. A mulher não desistiu, mesmo diante de aparentes obstáculos, e sua fé foi reconhecida e elogiada por Jesus. Sua persistência foi recompensada com a cura imediata de sua filha.

Convido você a não desistir, e sim persistir com fé em seus anseios e desejos.

Essa história é um estímulo para nós. Em meio às adversidades, que possamos manter uma fé firme e perseverante. Jesus reconhece e valoriza a fé que persiste mesmo quando as circunstâncias parecem desfavoráveis.

Enfrente os desafios, lembre-se da resposta generosa de Jesus à fé da mulher. Exercite a sua fé, nem que ela seja pequena como um grão de mostarda. Confie na vontade divina.

> "Então respondeu Jesus, e disse-lhe: 'Ó mulher, grande é a tua fé! Seja isso feito para contigo como tu desejas.' E desde aquela hora a sua filha ficou sã."
> **Mateus 15:28**

"As tormentas podem rugir, mas a rocha da nossa fé permanece imutável."

ANOTAÇÕES

31 AGO

GUIADA COM ALEGRIA

"Toda formosa é a filha do rei em sua morada, tecido de ouro é seu vestido. É apresentada ao rei com vestes bordadas; com ela as virgens, suas companheiras, a vós são conduzidas. (...)"
Salmos 45:14-16

"Eu sou filha do Rei dos reis."

ANOTAÇÕES
_____
_____
_____
_____
_____
_____
_____

Hoje você será transportada para um cenário de majestade e beleza, em que a filha do rei é descrita com esplendor. Consegue imaginar?

Somos filhas do Rei dos reis, e em Sua presença somos adornadas com vestes de dignidade, honra e esplendor. Em cada passo que damos na jornada da vida, somos guiadas pela alegria e exultação que vêm de estar na presença do nosso Pai Celestial.

Você tem uma identidade real! Você foi feita para habitar nos palácios da graça, onde a beleza da filiação divina é revelada em cada aspecto da sua vida.

Que os seus passos sejam guiados pela alegria que vem de conhecer e viver para o Rei. E que, ao enfrentar os desafios da vida, possa fazê-lo com a certeza de que o amor do Rei a conduz.

Faça que a sua vida reflita a majestade e a beleza que emanam da nossa relação com o Rei eterno; celebre a jornada guiada por alegria e exultação rumo ao palácio real da eternidade.

Catia Regiely

SETEMBRO

01 SET

CLAME PROFUNDAMENTE

> *"Vivifica-me, ó Senhor, por causa do teu nome; por causa da tua justiça, tira a minha alma da angústia."*
>
> **Salmos 143:11**

O Salmo 143:11 é um clamor profundo por vida renovada e libertação da angústia: esse verso expressa a busca por renovação e libertação, ancoradas na justiça e no nome do Senhor.

Mulher, você é uma fonte de encorajamento. Quando a angústia a cercar, clame ao Senhor por uma vida renovada. Ele é a fonte da vida, e Sua justiça é nossa esperança. Ele ouve nossos clamores e responde conforme Sua vontade amorosa.

Confie na justiça de Deus, sabendo que Ele é compassivo e fiel. Busque por vivificação constantemente, e por último confie que o Senhor é nosso restaurador e libertador.

O Senhor é o nosso refúgio, e a Sua justiça, a nossa âncora.

Que em cada desafio possamos clamar como o salmista, confiando na promessa divina de vida abundante e libertação da angústia.

Que a presença de Deus nos envolva e vivifique nossas almas, trazendo paz e esperança ao nosso coração.

"O Senhor é o meu refúgio, e a Sua justiça, a minha âncora."

ANOTAÇÕES

Catia Regiely

UMA ESPOSA EXEMPLAR

02 SET

"Uma esposa exemplar; feliz quem a encontrar! É muito mais valiosa que os rubis."
Provérbios 31:10

Feliz é o homem que encontra uma esposa exemplar! É muito mais valiosa que os rubis. Estas palavras são uma celebração da virtude e do valor inestimável de uma esposa dedicada.

Você é essa esposa? Se ainda não é casada, pode começar a se preparar para o seu amado!

Uma esposa exemplar é aquela que encontra sua força na presença de Deus. Ela busca sabedoria divina para enfrentar os desafios da vida matrimonial. Sua fé se reflete na maneira como ela ama, respeita e apoia seu esposo. Ela é a voz da graça quando as dificuldades surgem e a rocha que sustenta a família nos tempos turbulentos.

Uma esposa exemplar é um tesouro, comparável a rubis raros e valiosos. Sua presença é fonte de alegria e bênção. Ela cultiva relacionamentos fundamentados na virtude, no respeito e no amor.

Que você possa se inspirar nessa mulher hoje e encontrá-la em você!

Que tanto na vida conjugal como em todas as relações possamos aspirar à excelência, valorizando a essência das pessoas.

"Cultive virtudes, seja como a joia rara que Deus desenhou."

ANOTAÇÕES

03 SET

VOCÊ É LINDA

> *"Tu és toda formosa, querida minha, e em ti não há defeito."*
> **Cânticos 4:7**

Essa mensagem é um presente do profundo amor divino, uma verdadeira declaração de amor. Essas palavras revelam não apenas a beleza exterior, mas também a perfeição que Deus vê em cada uma de nós, Sua criação amada.

Lembre-se de que aos olhos de Deus somos perfeitas e amadas. Ele nos vê exatamente assim: sem defeitos.

Em um mundo que valoriza padrões externos, a Palavra de Deus nos lembra que a verdadeira beleza vai além da aparência física. Abrace essa verdade hoje e aceite-se como você é. Você foi feita à imagem e semelhança do seu Criador!

Você é única!

Busque essa beleza dentro de você, a beleza que emana do caráter, da bondade e da graça, refletindo a luz divina em todas as áreas de nossa vida.

Entronize essa verdade em seu coração e viva com confiança, sabendo que somos perfeitas aos olhos de nosso Criador.

> **"Sua beleza não é definida por padrões terrenos, mas pela luz divina que brilha em seu coração."**

ANOTAÇÕES

EDIFICADA PARA SER MORADA DE DEUS

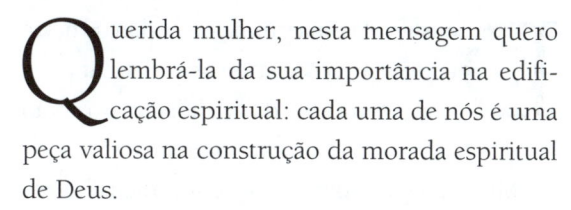

04 SET

"Também vós juntamente sois edificados para morada de Deus em Espírito."
Efésios 2:22

Querida mulher, nesta mensagem quero lembrá-la da sua importância na edificação espiritual: cada uma de nós é uma peça valiosa na construção da morada espiritual de Deus.

Compreenda e internalize a profundidade desse chamado divino. Somos edificadas não apenas como indivíduos, mas juntas, como uma comunidade de mulheres. Em nossa união, formamos um lugar sagrado, uma morada para o Espírito de Deus.

Olhe para as mulheres ao seu redor, veja não apenas rostos familiares, mas também pedras vivas na construção espiritual. Seja você um canal para encorajá-las, apoiá-las e edificá-las, formando, assim, um santuário onde o Espírito Santo habita.

Mulher, você é parte vital da morada de Deus. Você é a obra-prima do Mestre Construtor.

Que sua vida seja uma expressão da beleza divina e que, ao unirmos nossos corações e propósitos, possamos testemunhar a glória da presença de Deus em nosso meio.

"Somos moradas acolhedoras para o Espírito Santo."

ANOTAÇÕES

05 SET

> "(...) não te deixarei nem te desampararei."
> **Josué 1:5**

EU NÃO ESTOU SOZINHA

Deus revela uma promessa poderosa nesse texto, que ecoa através dos tempos: é um testemunho da fidelidade e do apoio constante de Deus em nossa vida.

Mulher, essa promessa deve ser o seu alicerce sólido. Nenhum desafio, nenhum obstáculo é grande demais quando Deus está contigo. Assim como Ele foi com Moisés, Ele é contigo, e Sua presença é uma garantia de vitória.

Essa verdade a fortalece nos momentos de incerteza. Mesmo às vezes parecendo que está sozinha, você não está só. Ele não te deixará nem te desamparará. Em cada passo, em cada desafio, lembre-se de que a presença Dele é a sua segurança.

Apoie-se nessa promessa e seja inspirada a enfrentar cada dia com coragem. O que quer que esteja diante de você, saiba que você é capacitada pela presença divina. Tenha a certeza do cuidado constante de Deus, seja uma fonte de paz e confiança em todos os dias da sua vida.

"A Sua presença é a minha garantia de vitória."

ANOTAÇÕES

ACALME-SE

06 SET

"O Senhor lutará por vocês; tão somente acalmem-se."
Êxodo 14:14

Eu não sei como está o seu coração neste dia, mas sei que o Senhor conhece e esquadrinha o nosso coração todos os dias. Ele sabe exatamente de todas as coisas, e neste texto encontramos uma promessa poderosa e reconfortante.

Deus é nosso guerreiro e defensor.

Mulher de coragem, em momentos de adversidade, lembre-se de que o Senhor está à frente, lutando por você. Ele é o Deus que vence batalhas e abre caminhos, mesmo quando tudo parece impossível.

Permita que, neste momento, o seu coração seja preenchido com esse entendimento. Não é necessário carregar o fardo das preocupações, pois o Senhor a conduzirá com Sua força infalível. Confiança e calma são respostas à promessa do Deus que peleja por você.

Declare que você é uma mulher valente, e, quando os desafios surgirem, você não temerá e saberá que o Senhor, o Todo-poderoso, lutará em seu lugar. Olhe sempre para a frente e siga adiante. A sua vitória é certa!

"Em Sua força encontro coragem para superar qualquer desafio."

ANOTAÇÕES

O JUSTO JULGAMENTO

07 SET

> "Pois tu tens sustentado o meu direito e a minha causa (...)."
> **Salmos 9:4**

Quais são as causas que você precisa colocar no tribunal do Senhor? Hoje eu a encorajo a entregar para Ele e deixar em Suas mãos, pois o Senhor é teu defensor. Ele sustenta seu direito e sua causa, e Sua justiça é infalível.

Deus age em teu favor, sentado no tribunal celestial com uma justiça que transcende toda compreensão humana. Cada lágrima, cada esforço, cada desafio que enfrentamos não passam despercebidos aos olhos daquele que julga com perfeição.

Em vez de nos desesperarmos diante das injustiças percebidas, devemos lembrar que Deus é soberano sobre todos os julgamentos. Ele não apenas vê as ações externas, mas também penetra os motivos mais profundos. Essa verdade nos liberta para perdoar, confiando que a justiça de Deus se manifestará no tempo certo. O peso da justiça divina é insuperável, e Ele é capaz de transformar qualquer situação para o bem daqueles que O amam.

Motivo você a enfrentar suas causas a cada dia com coragem. O Deus que sustenta seu direito é também aquele que guia seus passos com justiça. Ele é seu juiz e seu defensor, e em Sua presença encontra-se a verdadeira motivação para superar cada desafio.

"Confie no Juiz Divino, Ele escreve retidão em cada página da sua história."

ANOTAÇÕES

RECEBA A PLENITUDE

> "Por estarem nele, que é o Cabeça de todo poder e autoridade, vocês receberam a plenitude."
>
> **Colossenses 2:10**

Essas palavras são como um lembrete poderoso de nossa identidade e herança em Cristo.

Em Cristo encontramos não apenas plenitude, mas também direção e propósito. Ele é a fonte de todo poder e autoridade, e em Sua presença recebemos a plenitude de que necessitamos para enfrentar cada dia com confiança e graça.

É fácil nos perdermos nas demandas diárias e nos desafios que enfrentamos, esquecendo que a plenitude não está em conquistas mundanas, mas na comunhão com nosso Salvador. Ao nos rendermos completamente a Ele, experimentamos a plenitude da alegria que só pode ser encontrada na presença divina. Quando confiamos que Deus é suficiente, nossas preocupações se dissipam, e somos preenchidas por Sua paz sobrenatural.

Que cada passo, cada desafio que enfrentarmos seja com a certeza de que somos fortalecidas pelo poder do Cabeça, que é Cristo.

Mulher, você é uma participante da plenitude divina. Que essa verdade ressoe em cada área de sua vida, guiando-a, fortalecendo-a e inspirando-a a viver de acordo com a autoridade e o poder que Cristo concede.

> "Eu recebo a plenitude e vivo consciente em unidade com Cristo."

ANOTAÇÕES

09 SET

O AMOR FOI DERRAMADO

> "Ora, a esperança não confunde, porquanto o amor de Deus é derramado em nossos corações pelo Espírito Santo que nos foi dado."
> **Romanos 5:5**

O amor que foi derramado nos traz a esperança sólida, segura e fiel, trazendo-nos de volta ao Pai, assim como o filho pródigo retornou a sua casa e foi recebido com uma linda festa.

Se hoje você se sente longe e sem esperança, o amor de Deus pode mudar esse cenário e devolvê-la a você. É o Espírito Santo quem derrama em sua vida esse amor, trazendo-a de volta. Ele confia e testifica esse amor em nosso coração, fortalecendo nossa esperança e nossa fé.

O amor de Deus por nós não muda e nunca mudará. Não importa o que você faça, essa obra está consumada, por meio da Cruz; não há como voltar atrás. Ele nos amou primeiro!

Volte ao amor do Pai, ame-o! Ame passar tempo com Ele, ame relacionar-se, e o Espírito Santo lhe devolverá a esperança em meio a suas dúvidas, medos e anseios. É Ele que nos sustenta e nos mantém de pé, firmes e inabaláveis, e não nos deixa ser confundidas com falsas esperanças.

"Volto para o amor do Pai e resgato a minha esperança."

ANOTAÇÕES

Catia Regiely

NÃO SE ATEMORIZE

10 SET

"Deixo-vos a paz, a minha paz vos dou (...)."
João 14:27

Na Bíblia aparecem diversas vezes as expressões "não temas", "não tenha medo", "não se atemorize". O contrário disso também é verdadeiro: "tenha paz", "tenha esperança", "tenha confiança", etc.

Sabemos que a paz que o Senhor nos oferece é incompreensível aos olhos humanos; ela é firmeza inabalável e inquebrável. Quando você diz eu tenho fé, mas em seu coração algo te deixa com medo ou com dúvida, a sua afirmação deixou de ser verdadeira.

Esses ensinamentos são repetidos inúmeras vezes, para que possamos ser convencidas e confiar verdadeiramente. Dizer que tem fé é diferente de realmente senti-la e provar da paz que o Senhor nos disponibiliza.

Ao confiarmos nessa paz, o seu coração não será perturbado pelo medo, pela angústia e pelo sofrimento. Você encontrará a segurança que tanto procura e que somente Ele pode proporcionar. Guarde seu coração da paz insustentável que o mundo finge te dar; encha seu coração da certeza de paz que há em Cristo Jesus e em Sua Palavra.

"Eu sou uma mulher de fé, e meu coração está seguro e sereno na paz que Deus oferece."

ANOTAÇÕES

11 SET

A COMPAIXÃO DO PAI CELESTIAL

> "Assim como um pai se compadece de seus filhos, o Senhor se compadece daqueles que O temem."
> **Salmos 103:13**

"Em Seu amor incondicional, encontro restauração e acolhimento."

ANOTAÇÕES

Não há como comparar o amor de Deus por seus filhos, porém podemos trazer a analogia da paternidade terrena. Assim como um pai cuida com carinho de seus filhos, o Senhor também. O amor do Pai Celestial é compassivo e acolhedor.

Se nós, como pais, podemos pensar em trabalhar para fazer com que nossos filhos não passem necessidade, que tenham alimento todos os dias, se buscamos ajudar na realização dos sonhos deles, se enfrentamos adversidades, dificuldades para fazer o melhor a cada instante; se conseguimos buscar em nós forças para ser melhores a cada dia por eles, quem dirá Deus Pai, que nos ama incondicionalmente e nada do que você faça pode afastar esse amor da sua vida. Sua compaixão é uma expressão do Seu amor incondicional, que nos envolve e restaura em Sua presença.

Convido você a encontrar conforto na certeza de que Deus, como um pai carinhoso, está cuidando de todos os detalhes e lhe dando coragem para enfrentar os desafios.

Catia Regiely

SUA FRAQUEZA A FAZ FORTE

12 SET

"...Porque quando sou fraco, então é que sou forte."
2Coríntios 12:10

Imagine uma árvore que se dobra diante da tempestade e suas raízes permanecem firmes no solo. Por mais que pareça que essa árvore possa tombar, isso não acontece, pois a verdadeira força não está no lado externo, e sim no interno, ou seja, leva anos para consolidar suas raízes, que a tornam forte.

A raiz é como o nosso espírito, que, quando se fortalece, manifesta a Graça do Senhor, não importa o tamanho da tempestade. Podemos nos sentir fracos, mas sairemos dela ainda mais fortes. Quando somos fracos, experimentamos a força que só Deus pode proporcionar.

Nós nos esforçamos, estudamos, buscamos mais sabedoria, adquirimos mais conhecimento, porém às vezes temos a impressão de que não somos fortes o suficiente para enfrentar as batalhas da vida. A verdadeira força está na capacidade de transformar desafios em oportunidades e ter a habilidade de nos reerguer mais resilientes e conscientes, pois já fomos alicerçadas em Deus.

"Em humildade, experimento a força divina que se manifesta plenamente quando estou fraca."

ANOTAÇÕES

13 SET

A CONFIANÇA NA DIREÇÃO DIVINA

"Os passos de um homem bom são confirmados pelo Senhor, e deleita-se no seu caminho."
Salmos 37:23

Confiar em Deus é como andar com uma venda nos olhos, com a certeza de que se chegará ao destino certo e sem nenhum arranhão. A confiança na direção divina é alicerçada e baseada totalmente na fé. A fé é ter certeza e convicção daquilo em que se acredita, mesmo que não se possa ver nada!

Ao confiarmos nossos passos ao Senhor, Ele confirma e se alegra em nosso caminho. A jornada do homem bom é guiada pela mão amorosa de Deus, que conduz seus passos com sabedoria. Mas não há humanamente em nós só bondade, mas, sim, pecados, medos, incertezas, dúvidas e até maldade.

Você tem sido guiada por Deus? Se ainda acredita que falta um pouco mais de confiança, entregue-se e decida se lançar a essa experiência. Certamente encontrará satisfação, prazer e realização em seu caminho, em tudo aquilo que realizar ou que sonhar.

Feche os teus olhos e deixe-O guiá-la; coloque o pé e Ele colocará o chão e levará você aos lugares mais altos.

"Ao entregar meu caminho ao Senhor, Ele confirma, me dá segurança e deleita-se em guiar-me com sabedoria, amor e zelo."

ANOTAÇÕES

O REFÚGIO NAS PROMESSAS DE DEUS

14 SET

"Deus é o nosso refúgio e fortaleza, socorro bem presente nas tribulações."
Salmos 46:1

Se você está na correria da vida, no dia a dia em meio às tribulações, dias incertos, com decisões a serem tomadas, mudança de vida, a única forma de encontrar segurança, abrigo, confiança e refúgio é Naquele que nos amou primeiro: **Deus**.

Ele é nossa torre forte, onde podemos nos refugiar sem temer que algo poderá nos atingir. Ele é a fortaleza que procuramos, um socorro presente que nos sustenta, nos guarda e nos protege o tempo todo e todos os dias da nossa vida.

Convido você a confiar em suas promessas, pois Ele não fala o que não conseguiria cumprir. Se Ele diz: "Eu sou o seu refúgio, eu a ajudo, eu sou o seu socorro!", acredite e comece a praticar a sua fé verdadeiramente.

Você será uma mulher fortalecida, cheia de confiança, restabelecida em segurança, pois Ele é o seu abrigo seguro, e você pode se achegar a qualquer tempo.

"Confio nas Suas promessas que me sustentam em todos os momentos."

ANOTAÇÕES

15 SET

> *"Mas em todas estas coisas somos mais que vencedores, por meio daquele que nos amou."*
> **Romanos 8:37**

"Eu já venci a maior de todas as corridas! Eu sou mais que vencedora!"

ANOTAÇÕES

A CONQUISTA DA VITÓRIA EM CRISTO

Nossa vida é repleta de desafios, lutas e batalhas, mas a linha de chegada é certa! Você já parou para pensar que, ao ser concebida no ventre da sua mãe, foi vencedora da maior corrida de que já participou?

Se você venceu milhões de espermatozoides e hoje está aqui lendo esta mensagem, você é mais que vencedora!

Na vida temos os nossos altos e baixos; em alguns momentos parece que perdemos, em outros, que ganhamos. Mas, ao sermos escolhidas para estar aqui na terra, é porque a maior vitória você já teve: a vida.

Nada nesta vida pode nos abalar ou nos derrotar, pois o amor de Deus nos capacita a continuar sendo mais que vencedoras, conquistando a vitória a cada desafio e dificuldade que se apresentam. E assim podemos experimentar a alegria verdadeira de ser essa vencedora.

Feche os olhos por alguns minutos e imagine você vencendo a sua maior corrida. O que mais pode abalar você? Confie; se Ele te escolheu, Ele te amou!

Catia Regiely

A GRAÇA QUE NOS CAPACITA A PERDOAR

16 SET

"(...) perdoando-vos uns aos outros, como também Deus vos perdoou em Cristo."
Efésios 4:32

Esse texto é um raio de luz que vem para nos lembrar da bondade e misericórdia de Deus. Essa bondade nos constrange e nos ensina a não sermos egoístas, pensando no próximo e o amando.

A graça de Deus nos capacita a perdoar, assim como um dia, apesar de nossos pecados, falhas, condutas imorais, erros e desprezo, fomos perdoadas em Cristo Jesus.

Cultivar a benignidade, espalhar sementes de compaixão em nossos caminhos diários, ser misericordiosas, compreender que cada um tem suas batalhas invisíveis e respeitar esse processo faz parte da nossa essência, mas na maioria das vezes deixamos o nosso ego comandar.

Quando temos essa consciência, encontramos uma libertação que ecoa o perdão divino, e refletimos a graça que nos foi dada.

Convido você a praticar a benignidade e a misericórdia, refletindo o amor divino em nossas relações, sejam elas pessoais, profissionais ou familiares. E começar a ser um exemplo vivo de Jesus aqui na terra.

> **"Permito que a graça de Deus me capacite a ter a bondade e a misericórdia de Cristo."**

ANOTAÇÕES

17 SET

O CHAMADO À SANTIDADE EM CRISTO

> *"Mas, assim como é santo aquele que os chamou, sejam santos vocês também em tudo o que fizerem."*
>
> **1Pedro 1:15**

"Consagro-me e sou transformada pela graça divina, refletindo a santidade de Deus em toda a minha maneira de viver."

A palavra santo significa aquele que foi separado, aquele que não faz mais parte dos padrões que o mundo determina, aquele que sabe que está de passagem nesta terra e que não é daqui.

O chamado à santidade em Cristo é um convite para vivermos de acordo com a natureza santa, ou seja, a nossa versão original, essência pura.

Uma vida perfeita, cheia de surpresas agradáveis, só dias floridos e festivos? Claramente que não!

A Santidade nos torna separadas de tudo aquilo que não agrada ao Pai. Ao nos consagrarmos, somos transformadas, renovadas e restauradas pela graça divina, refletindo a santidade de Deus em toda a nossa maneira de viver. Porém é preciso cuidar para não se achar melhor ou maior que os outros que ainda não têm essa consciência e estão perdidos.

Lembre-se de que Jesus disse que foi para os doentes e perdidos que Ele veio; então, ao santificar-se, é no meio dessas pessoas que você tem de estar para cumprir o seu propósito.

ANOTAÇÕES

A FÉ VERDADEIRA FLORESCE A CONFIANÇA EM DEUS

18 SET

Como está a sua confiança em Deus? Você tem alimentado dúvidas em sua mente? Confiar em Deus é uma atitude que brota do coração, e nós é que escolhemos se vamos seguir esse caminho ou se vamos escolher aquilo que estamos vendo, sentindo ou imaginando que seja o melhor para nós.

É fácil depender do que entendemos, mas a verdadeira fé floresce quando confiamos no que ainda não compreendemos completamente. Ao confiarmos integralmente no Senhor, confirmamos nossa total e exclusiva dependência Dele, experimentamos Sua orientação, Seu carinho, cuidado e zelo.

A confiança em Deus nos liberta das limitações do entendimento humano, pois nós muitas vezes temos essa responsabilidade de seguir o que achamos ser melhor segundo nosso entendimento e percepção, e isso nos permite aceitar que Sua sabedoria guie nossos passos.

"Confia no Senhor de todo o teu coração e não te estribes no teu próprio entendimento."
Provérbios 3:5

"Permito-me experimentar e orientação de Deus e Seu cuidado todos os dias."

ANOTAÇÕES

19 SET

VENCENDO A REJEIÇÃO

"Porque o Senhor diz: 'Eu amei com amor eterno; com amor leal a atraí."
Jeremias 31:3

"Sua identidade está enraizada no amor divino, e Ele está sempre ao seu lado."

ANOTAÇÕES

Quando nos sentimos rejeitadas, é fácil esquecer que somos amadas incondicionalmente por Aquele que nos criou. Em Salmos 27:10, Davi escreve: "Ainda que meu pai e minha mãe me abandonarem, o Senhor me acolherá". Essa verdade é eterna.

A rejeição pode surgir de muitas formas – a palavra não dita, a porta fechada, a amizade que desvanece. No entanto, quando nos voltamos para Deus, descobrimos que Sua liberdade é a âncora de nossa alma. Ele nos acolhe com braços abertos, não importa quantas vezes nos afastemos. Em Cristo, somos aceitas, amadas e acolhidas.

Entenda que as dores do seu passado não definem quem você é. Em vez de buscar validação nos outros, encontre sua identidade naquele que te formou. O Deus que criou à Sua imagem não a rejeita; Ele a adorna com Sua graça e amor. Em Sua presença, a rejeição se desfaz, e somos envolvidas por Seu amor, que transcende qualquer falha humana.

Deus nos ama apesar de nossas falhas e nos chama para uma jornada de cura e renovação.

O PODER DO SILÊNCIO

20 SET

"(...) se contiver a língua, parecerá que tem discernimento."
Provérbios 17:28

Em um mundo barulhento, onde as palavras voam como folhas ao vento, a sabedoria se revela na arte de manter a boca fechada. Provérbios 17:28 nos ensina que mesmo o insensato pode parecer sábio ao escolher o silêncio. Quando fechamos a boca, damos espaço para a reflexão e evitamos ferir outros com palavras impulsivas. Esse silêncio não é fraqueza, mas, sim, uma demonstração de força interior, que controla nossas palavras em vez de sermos controladas por elas. É uma pausa estratégica que permite que a sabedoria oriente nossas interações.

Silenciar a língua não significa ausência de voz, mas uma escolha consciente de quando falar. O silêncio é uma linguagem própria, que transmite respeito, humildade e autodomínio.

Jesus, diante das acusações, muitas vezes questiona em silêncio, demonstrando que nem toda batalha exige uma resposta verbal. Em nosso silêncio, permitimos que Deus atue, reconhecendo que Suas palavras têm poder além de nossa compreensão.

"Quando escolhemos a quietude, somos moldadas pela sabedoria divina e nossas palavras se tornam fontes de vida."

ANOTAÇÕES

21 SET

DESVENDANDO O PODER DA UNIDADE

"Pois, onde há inveja e ambição egoísta, aí há confusão e toda espécie de homens."
Tiago 3:16

"A verdadeira força de Deus se desdobra nos laços da união."

ANOTAÇÕES

Nosso Deus é um Deus de harmonia, e Sua força flui abundantemente na unidade. Quando permitimos que a discórdia se instale, estamos, conscientemente, bloqueando a manifestação do poder divino em nossa vida. A Palavra nos adverte: "onde há inveja e ambição egoísta, aí há confusão e toda espécie de homens". A discórdia não é apenas uma perturbação superficial; é uma barreira que impede a entrada da vitória de Deus.

Quando cultivamos a paz e a unidade, abrimos as condutas para a presença e o poder do Senhor agirem em nós e por nosso intermédio. Jesus ensinou que uma casa dividida não subsiste (Mateus 12:25), e o mesmo se aplica à nossa vida espiritual. Ao contrário, quando nos esforçamos para manter a paz e buscar a reconciliação, experimentamos a plenitude do amor de Deus.

Permitir que a discórdia persista é como cerrar as portas do coração para a graça divina. Hoje, decida ser agente de paz, construtora de pontes e promotora da unidade. Ao fazermos isso, desbloqueamos a força irresistível de Deus, liberando Seu amor, graça e poder sobre nós e sobre aqueles ao nosso redor.

Catia Regiely

VIVA POSITIVAMENTE

"Este é o dia que o Senhor fez; regozijemo-nos e alegremo-nos nele."
Salmos 118:24

Cada novo amanhecer é um presente divino, uma tela em branco oferecida pelo Criador. Em meio aos desafios da vida, somos chamadas a viver positivamente, descobrindo a alegria nos detalhes e nos planos grandiosos que Deus tem para nós.

A Bíblia nos lembra que este é o dia que o Senhor fez, e é nossa responsabilidade regozijar e alegrar-nos Nele. Mesmo diante das adversidades, nossa perspectiva molda nossa realidade. Optar por uma vida positiva não significa ignorar as dificuldades, mas encará-las com fé, sabendo que em cada obstáculo há uma oportunidade de crescimento. Quando nos ancoramos na Palavra, percebemos que a alegria divina transcende as situações.

Devemos buscar o contentamento em Cristo, que fortaleça nosso espírito e nos capacite a enfrentar cada dia com confiança.

A gratidão é a chave que abre as portas da positividade. Ao considerar as vitórias ao nosso redor, nosso coração se enche de alegria. Viver afirmativamente não é uma fuga da realidade, mas uma escolha de enxergar a vida através da lente da esperança. Deus está conosco em cada passo, guiando-nos com amor.

> "A positividade não é apenas uma atitude; é uma expressão do nosso relacionamento com o Deus que nos fortalece."

ANOTAÇÕES

23 SET

> "Afaste-se do mal e faça o bem; busque a paz e siga-a."
> **Salmos 34:14**

AFASTE-SE DO MAL

Em nossa jornada espiritual, somos desafiadas a salvar-nos do mal. Este não é apenas um conselho sábio, mas uma instrução divina. Nosso Deus nos ama e nos chama para trilhar caminhos que glorificam Sua luz, deixando para trás as sombras do mal. É uma escolha diária, um compromisso constante de resistir às tentativas e abraçar a firmeza. Quando nos distanciamos do mal, permitimos que a pureza do amor divino brilhe em nosso coração.

Ao nos salvar do mal, encontramos força para superar desafios. A Palavra nos lembra que não estamos sozinhas nessa jornada; Deus caminha conosco. Escolher o bem é como lançar luz sobre nossos passos, revelando um caminho seguro e cheio de propósito. Em cada decisão de nos afastar do mal, estamos nos aproximando mais da presença do Altíssimo.

É um convite para vivermos como filhas da luz, transformando nossa vida e impactando o mundo ao nosso redor. A fidelidade à Palavra nos liberta da escravidão do pecado, permitindo-nos experimentar a alegria da graça redentora. Afaste-se do mal, pois nesse ato encontramos a verdadeira liberdade.

"Na luz, encontramos liberdade!"

ANOTAÇÕES
_____
_____
_____
_____
_____
_____
_____

Catia Regiely

A GRANDE QUEDA DO EGOÍSMO

24 SET

"Não faça nada por ambição egoísta ou por vaidade, mas humildemente considere os outros superiores a si mesmos."
Filipenses 2:3

Nossa vida é marcada por escolhas diárias, e as etapas mais cruciais são entre a humildade e o egoísmo. O egoísmo, disfarçado de autossuficiência, sutilmente nos afasta do propósito divino. Quando colocamos nossos interesses acima dos outros, criamos barreiras entre nós e a graça de Deus. A Bíblia, em Filipenses 2:3, nos adverte a não agir por ambição egoísta, mas a considerar os outros como superiores a nós mesmos. O egoísmo não só separa as relações humanas, mas nos distancia da harmonia com Deus.

Ao escolher o caminho do egoísmo, inadvertidamente abrimos uma porta para conflitos e descontentamento. É uma jornada solitária que nos leva a um interior vazio. No entanto, quando abraçamos a humildade, encontramos a plenitude na comunhão com Deus e nos relacionamentos significativos.

A verdadeira realização é encontrada ao servir aos outros com amor desinteressado, refletindo o modelo de humildade de Cristo.

"Na humildade, descubro a grandiosidade do amor."

ANOTAÇÕES

25 SET

FAÇA DA PAZ SUA META

"Afasta de ti a malignidade, e põe longe de ti a iniquidade; não põe à minha presença os teus olhos..."
Isaías 1:16-17

"Eu escolho não apenas evitar conflitos, mas também cultivar a paz ativa."

ANOTAÇÕES

Em Isaías, somos chamadas a afastar a malignidade e buscar a justiça, uma jornada que nos conduz à verdadeira paz. A mensagem é clara: fazendo do afastamento do mal e da prática do bem nossa prioridade, abrimos espaço para a paz de Deus reinar em nossa vida. Em vez de se voltar ao caos ao redor, escolhemos ser agentes de mudança. A paz, nesse contexto, não é passividade, mas uma busca ativa pela justiça e pela segurança.

Que cada ação, cada palavra, seja impulsionada pelo desejo de afastar a malignidade e promover o bem. Ao fazermos isso, nos tornamos instrumentos de paz em um mundo que anseia por estabilidade. Não é apenas uma paz pessoal, mas uma paz que se expande para alcançar aqueles que nos rodeiam. A paz torna-se uma meta nobre quando é construída sobre alicerces sólidos de retidão e compaixão.

Que a busca pela paz seja uma jornada constante, guiada pela luz da Palavra de Deus. Quando enfrentarmos adversidades, lembremo-nos de que a paz que excede todo o entendimento está disponível para nós.

OLHAR ALÉM: A MULHER OBSERVADORA

26 SET

"Ela vigia o andamento de sua casa e não come o pão da preguiça."
Provérbios 31:27

Nossos dias são repletos de circunstâncias que podem nos levar à distração, mas a mulher observadora aprende a discernir o essencial. Assim como a mulher virtuosa de Provérbios 31, ela não apenas gerencia sua casa, mas vigia atentamente cada aspecto de sua vida. Seu olhar não é superficial; é um mergulho profundo na essência das coisas.

Ao observar, ela identifica oportunidades de amor e serviço, enxerga além das aparências e abrange as necessidades do coração. Sua observação é uma ferramenta preciosa para cultivar relacionamentos saudáveis, detectar alegrias nas pequenas coisas e enfrentar desafios.

A mulher observadora também direciona seu olhar para dentro, explorando seus próprios pensamentos e emoções. Ela aprende com suas experiências, crescendo em graça e fortalecendo sua fé.

Este é um chamado para todas as mulheres: sermos observadoras atentas, não só do mundo ao seu redor mas também do mundo dentro de nós mesmas.

"Sorria para o futuro, pois a força que te reveste é mais poderosa que qualquer desafio."

ANOTAÇÕES

27 SET

"(...) 'Este é o caminho; siga-o'."
Isaías 30:21

A VOZ QUE TRANSFORMA

Em meio ao caos do cotidiano, a voz de Deus se faz presente, orientando-nos em direção ao Seu propósito. Como mulheres, somos chamadas a ser porta-vozes do Divino. Em Isaías 30:21, encontramos a promessa de que, se nos desviarmos, ouviremos a voz que nos guia de volta ao caminho certo.

Assumir o papel de porta-voz de Deus é aceitar a responsabilidade de transmitir amor, compaixão e verdade. Nas situações desafiadoras da vida, somos chamadas a proclamar a esperança que emana da fé. Cada palavra pronunciada pode ser um eco do divino, alcançando corações sedentos por encorajamento.

Hoje, lembre-se de que suas palavras têm poder. Elas podem ser um farol de luz no meio da escuridão. Seja sensível à voz do Espírito Santo, permitindo que Ele guie suas expressões. Seja a voz que consola, que edifica, que desafia na graça. Ao abraçar o papel de porta-voz de Deus, você se torna um instrumento de Sua mensagem transformadora.

"Sejamos conscientes de que nossa voz tem o poder de influenciar vidas."

ANOTAÇÕES

Catia Regiely

LIBERTANDO-SE DOS RELACIONAMENTOS DESTRUTIVOS

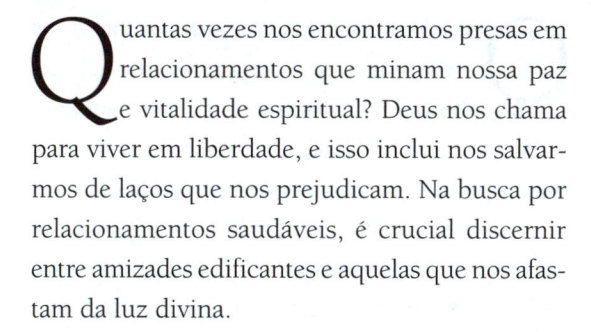

28 SET

"Quem anda com os sábios será sábio, mas o companheiro dos tolos sofre aflição."
Provérbios 13:20

Quantas vezes nos encontramos presas em relacionamentos que minam nossa paz e vitalidade espiritual? Deus nos chama para viver em liberdade, e isso inclui nos salvarmos de laços que nos prejudicam. Na busca por relacionamentos saudáveis, é crucial discernir entre amizades edificantes e aquelas que nos afastam da luz divina.

Relacionamentos destrutivos podem ser disfarçados de laços aparentemente inofensivos, mas sua influência pode ser avassaladora. A Palavra de Deus nos alerta sobre a importância de escolher nossos companheiros com sabedoria. Afinal, a companhia dos sábios nos eleva, enquanto a dos tolos nos conduz à aflição. Pensemos sobre aqueles que nos cercam e avaliemos se são positivos para o nosso crescimento espiritual e emocional.

Ao abandonarmos relacionamentos destrutivos, abrimos espaço para a graça divina moldar nossa vida. Deus nos chama para caminhar ao lado daqueles que nos incentivam a ser melhores, que nos apoiam nos momentos difíceis e que apoiam a nossa fé.

"Às vezes a coragem reside em abandonar aquilo que nos machuca."

ANOTAÇÕES

JEJUM QUE TOCA O CORAÇÃO DE DEUS

"(...) Não temas, porque eu te remi; chamei-te pelo teu nome, tu és meu."
Isaías 43:1

Quando pensamos em jejum, muitas vezes nossa mente se volta para a privação de alimentos, mas o jejum que realmente toca o coração de Deus vai além do físico. Deus anseia por um jejum que transcende as restrições alimentares, um jejum que reflete uma busca sincera e profunda por Ele. Não é apenas abster-se de comida, mas nos despojarmos de nossas distrações diárias para nos concentrarmos totalmente na presença divina.

Jejuar, de acordo com o coração de Deus, é abrir mão das preocupações mundanas, permitindo que a fome de Deus preencha nosso ser. É renunciar à negatividade, permitindo que a positividade divina transforme nossos pensamentos. Deus deseja que jejuemos não apenas para recebermos Suas vitórias, mas para nos aproximarmos Dele em um relacionamento mais profundo.

Ao jejuarmos, estamos declarando nossa dependência de Deus, confirmando que Ele é nossa fonte de força e direção. Nesse processo Ele nos chama pelo nome, lembrando-nos de nossa identidade em Cristo. O jejum que Deus deseja é uma jornada espiritual que nos leva a uma compreensão mais profunda de quem Ele é e de quem somos Nele.

"Jejue com o coração, e Deus transformará sua vida."

ANOTAÇÕES

SABEDORIA DIVINA: NOSSA BUSCA DIÁRIA

30 SET

"Se algum de vocês tem falta de sabedoria, peça-a a Deus, que a todos dá livremente, de boa vontade; e lhe será concedida."
Tiago 1:5

Em meio às complexidades da vida, nos deparamos com escolhas e desafios que clamam por sabedoria. Às vezes nos sentimos perdidas, sem compreender totalmente o caminho a seguir. Contudo, Tiago nos lembra que podemos buscar a sabedoria divina com confiança. Não estamos sozinhas nessa jornada; Deus anseia compartilhar Sua sabedoria conosco.

Ao pedirmos sabedoria, não estamos apenas buscando respostas, mas também nos conectando com a fonte de toda sabedoria. Deus nos oferece generosamente Sua orientação, não com relutância, mas com alegria. A sabedoria que Ele nos concede vai além da compreensão humana, guiando-nos em cada passo, revelando Seu plano divino para nossa vida.

Assim como Salomão escolheu a sabedoria quando Deus lhe deu a oportunidade de pedir o que quisesse (1Reis 3:9), podemos fazer o mesmo em nossas orações. A sabedoria divina transcende as limitações terrenas e nos capacita a enfrentar os desafios com confiança e discernimento.

Então, hoje, colocamos diante de Deus nossas preocupações, dúvidas e decisões. Peçamos Sua sabedoria para guiar nossos passos e moldar nossas escolhas.

"Na busca pela sabedoria divina eu encontro a verdadeira direção."

ANOTAÇÕES

OUTUBRO

TESOUROS NOS CÉUS: DESAPEGANDO DO EFÊMERO

01 OUT

"(...) acumulem para vocês tesouros nos céus, onde a traça e a ferrugem não destroem e onde os ladrões não arrombam nem furtam."
Mateus 6:19-20

Em um mundo que constantemente nos seduz a acumular riquezas materiais, somos chamadas a refletir sobre a verdadeira fonte de nossa segurança. A Palavra nos lembra: "Não acumulem tesouros na terra". Isso não significa que a prosperidade seja condenável, mas, sim, que nossa verdadeira riqueza está na eternidade.

Ao abrirmos a mão do efêmero, encontramos espaço para os tesouros celestiais. Desapegar do material não é privar-se, mas investir no eterno. O que amontoamos aqui pode ser corroído pelo tempo, mas o que depositamos nos céus é eterno.

Que tal desafiar a nós mesmos para simplificar? Ao fazer, compartilhar e viver com generosidade, plantamos sementes em solo celestial. Nosso espírito é expresso não apenas em momentos de louvor, mas também nas escolhas diárias que refletem nosso compromisso com o Reino.

Ao escolhermos sacrificar a busca incessante pelo conforto terreno, somos libertadas para abraçar o divino. Apegue-se a Deus, não às posses, e experimente a alegria de investir no que perdura para sempre.

"Ao libertarmo-nos do supérfluo, encontramos alegria na essência da vida."

ANOTAÇÕES

02 OUT

> *"Aquele que tem ouvidos para ouvir, ouça!"*
> **Mateus 11:15**

OUVIDOS ATENTOS

Em meio ao tumulto da vida, Deus nos convida a sintonizar nossos ouvidos com Sua voz suave. Assim como uma estação de rádio precisa ser ajustada para captar a frequência correta, nossos corações precisam estar sintonizados. Muitas vezes, em meio ao barulho do mundo, as palavras divinas se perdem. No entanto, a promessa de Cristo é clara: "Aquele que tem ouvidos para ouvir, ouça!".

Quando sintonizamos nossos ouvidos com o reino de Deus, descobrimos uma melodia de esperança, amor e paz. Deus fala de maneiras diversas – por meio da Sua Palavra, da natureza e até mesmo nas nossas sugestões suaves em nossos momentos de silêncio. É crucial afinar nossos ouvidos espirituais para discernir Sua orientação em meio ao ruído do cotidiano.

Nossa sociedade muitas vezes nos bombardeia com distrações, mas aqueles que buscam ouvir a voz de Deus encontram a direção necessária. Sejamos como Samuel, cujos ouvidos estavam atentos à voz do Senhor mesmo quando era jovem. Que estejamos dispostas a dizer "Fala, Senhor, que a tua serva te ouve". (1Samuel 3:9.)

> *"Sintonize sua alma, onde a paz fala mais alto que o caos. Ouça com o coração, ressoe com o céu."*

ANOTAÇÕES

Catia Regiely

ORANDO POR HERANÇAS ETERNAS

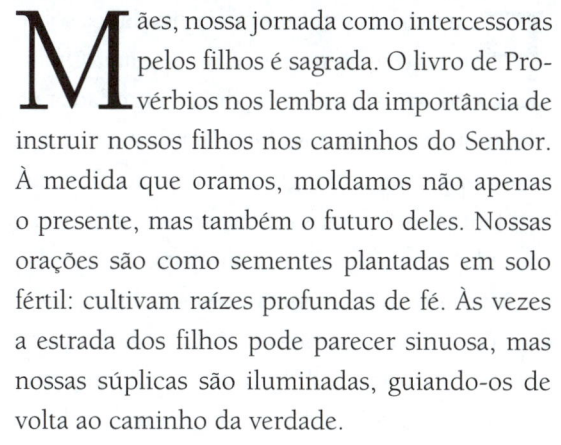

03 OUT

"Ensina a criança no caminho em que deve andar, e, ainda quando for velho, não se desviará dele."
Provérbios 22:6

Mães, nossa jornada como intercessoras pelos filhos é sagrada. O livro de Provérbios nos lembra da importância de instruir nossos filhos nos caminhos do Senhor. À medida que oramos, moldamos não apenas o presente, mas também o futuro deles. Nossas orações são como sementes plantadas em solo fértil: cultivam raízes profundas de fé. Às vezes a estrada dos filhos pode parecer sinuosa, mas nossas súplicas são iluminadas, guiando-os de volta ao caminho da verdade.

A oração não apenas protege, mas também desenvolve alicerces espirituais. Quando intercedemos, construímos heranças eternas para nossos filhos. Que cada palavra sussurrada nos momentos de silêncio seja um elo invisível entre nós e o coração deles, sustentado pelo amor incondicional que flui do coração do Pai.

Em nossa intercessão, Deus molda destinos. Ele é o oleiro habilidoso que transforma o barro da vida deles em obras-primas. Confie que suas orações têm poder, pois o Deus a quem clamamos é aquele que ouve e responde.

"Ore com fé, construa legados."

ANOTAÇÕES

04 OUT

DEUS A RESGATARÁ

> *"Ele nos tirou da escuridão e nos transportou para o reino do Filho do seu amor."*
> **Colossenses 1:13**

Em meio às sombras que a vida lança sobre nós, Deus é o mestre do resgate. Quando nos sentimos perdidas, afundadas na escuridão dos desafios, Ele estende Suas mãos amorosas para nos erguer. A Palavra de Deus nos lembra que fomos tiradas das trevas e transportadas para a luz do Seu amor incondicional.

Mesmo nos momentos mais sombrios, saiba que Deus está orquestrando seu resgate. Assim como um artista habilidoso transforma uma tela em uma obra-prima, Deus está tecendo cada fio de sua história para criar algo extraordinário. Confie nesse processo, mesmo quando não compreender os detalhes.

Os resgates divinos são uma jornada de transformação. Deus não apenas nos tira das trevas, mas nos guia em direção à Sua luz. Ele não apenas nos resgata de situações difíceis, mas nos restaura e renova, transformando nossas cicatrizes em testemunhos poderosos.

Então, quando sentir que as sombras ameaçam engoli-la, lembre-se de que Deus é o seu resgatador fiel. Ele conhece o caminho para a luz e está sempre disposto a guiá-la. Confie Nele, pois o resgate Dele não é apenas uma fuga das trevas, mas uma entrada triunfante em Sua maravilhosa luz.

"Ele não apenas nos livra de ameaças, mas transforma nossas provas em testemunhos de Sua fidelidade."

ANOTAÇÕES

Catia Regiely

SABENDO O QUE FAZER

05 OUT

"Que o Senhor, o teu Deus, nos informe para onde temos de ir e o que temos de fazer."
Jeremias 42:3

Em meio às encruzilhadas da vida, muitas vezes nos encontramos perdidas, sem saber para onde ir ou o que fazer. No entanto, a Palavra do Senhor nos assegura, onde clamamos: "Que o Senhor, o teu Deus, nos informe para onde temos de ir e o que temos de fazer".

Quando há incerteza sobre nós, é crucial buscar uma orientação divina. Deus não nos deixou à deriva, mas promete nos guiar em cada passo do caminho. Nos momentos de indecisão, encontramos refúgio na Sua Palavra, buscando discernimento por meio da oração.

A verdade é que, muitas vezes, a resposta está diante de nós, mas precisamos abrir nosso coração para ouvir a voz suave do Espírito Santo.

Hoje, aceite a paz que vem da certeza de que Deus está no controle. Mesmo quando as respostas parecem distantes, Ele nos leva passo a passo. Não é necessário entender tudo; é suficiente confiar em quem nos guia. O caminho pode ser desconhecido, mas nosso Deus é o mesmo ontem, hoje e sempre.

"Na incerteza, Deus é a bússola que guia nossos passos."

ANOTAÇÕES

06 OUT

CONFIANDO NO DEUS QUE CURA

> *"Cura-me, Senhor, e serei curado; salva-me, e serei salvo, pois tu és aquele a quem eu louvo."*
> **Jeremias 17:14**

Jeremias, em sua súplica, revela a profundidade da confiança no Deus restaurador. Como mulheres, enfrentamos desafios diversos, mas a promessa de cura ecoa em nosso coração.

Deus não apenas conhece nossas dores, mas é uma fonte de cura que transcende qualquer circunstância. Quando clamamos por cura, Ele ouve e responde. Seja físico, emocional ou espiritual, o toque divino restaura, revitaliza e renova.

Ao confiarmos em Deus, que cura, estamos envolvidas por Seu amor transformador. Suas mãos habilidosas moldam nossas feridas em testemunhos de redenção. Em meio à incerteza, Ele é uma rocha inabalável em quem podemos ancorar nossa confiança. A cura que Ele oferece vai além da superfície: alcança a raiz de nossas dores, restaurando-nos por completo.

Assim como Jeremias, podemos clamar com confiança pela cura, pois servimos a um Deus que não apenas responde, mas faz com que nossas cicatrizes se tornem símbolos de Sua fidelidade. Que a promessa de cura nos inspire a confiar inabalavelmente Naquele que é o médico das nossas almas.

> **"Nas mãos do Deus que cura encontramos a cura que transcende."**

ANOTAÇÕES

A SERENIDADE QUE TRANSFORMA

07 OUT

> *"Tu, Senhor, guardarás em perfeita paz aquele cujo propósito está firme, porque em ti confia."*
> **Isaías 26:3**

Ansiamos diariamente pela tranquilidade que transcende as situações. O texto de Isaías 26:3 revela um convite divino para experimentarmos uma paz incomparável: a presença transformadora da serenidade que emana da confiança inabalável em Deus.

A mente, muitas vezes, é um campo de batalha, onde preocupações e ansiedades tentam roubar nossa paz interior. No entanto, a promessa divina é clara: quando nossa confiança se refere ao Senhor, Ele guarda nossa mente em uma paz que vai além da compreensão humana.

Em dias agitados, somos desafiadas a manter um propósito firme, centrado na confiança em Deus. Não é uma paz superficial, mas uma paz profunda que permeia cada pensamento. Imagine sua mente como um jardim tranquilo, cultivado pela certeza de que o Criador está no controle.

Hoje, desafie-se a cultivar a paz mental ao buscar a presença de Deus. Lembre-se: em Deus sua mente encontra a paz eterna, transcendentemente acima das situações terrenas.

"Na firmeza da confiança eu cultivo a paz."

ANOTAÇÕES

08 OUT

NUNCA É TARDE DEMAIS PARA RECORRER A DEUS

"Restituirei a vocês os anos que foram consumidos pelo gafanhoto migrador, pelo destruidor e pelo cortador, o meu grande exército que enviei contra vocês."

Joel 2:25

Você pode sentir que o tempo se esvaiu, que sonhos foram perdidos e oportunidades passaram. Mas saiba que em Deus nunca é tarde demais para um recomeço. O texto de Joel revela o coração amoroso de Deus, prometendo restaurar o que estava perdido. Ele é especialista em transformar lamentos em louvores e derrotas em vitórias. Se o inimigo roubou sua alegria, fé ou propósito, lembre-se: Deus é capaz de restaurar cada área de sua vida.

Muitas vezes a sociedade nos pressiona a cumprir prazos, a alcançar metas em um cronograma específico. Contudo, o relógio de Deus é eterno, e Sua graça opera fora do nosso entendimento temporal. Ele não está limitado pelas estações da vida, mas, sim, disposto a nos surpreender com um novo capítulo, independentemente de idade, circunstância ou desafio.

Hoje, convide Deus para redimir o passado e guiar o seu futuro. Deixe que Suas mãos habilidosas transformem cinzas em beleza, e os lamentos, em danças de celebrações. Em Sua presença, o tempo se alinha com a eternidade, e a esperança floresce. O que foi perdido não se compara ao que está por vir quando confiamos em Deus.

"Recomece com Deus!"

ANOTAÇÕES
_____
_____
_____
_____
_____
_____
_____

SAINDO DAS TREVAS

09 OUT

"(...) se cair, ainda me levantarei; se morar nas trevas, o Senhor será a minha luz."
Miqueias 7:8

Muitas vezes nos deparamos com as sombras das dificuldades, da tristeza e do desconhecido. Porém, na Palavra de Deus encontramos a promessa de que, mesmo nas trevas mais profundas, o Senhor é a nossa luz; ao enfrentarmos as adversidades, não estamos sozinhas. Deus é aquele que nos levanta quando caímos e que ilumina nosso caminho quando tudo parece escuro.

As trevas podem se manifestar de diversas formas: desafios financeiros, relacionamentos desgastados, ou até mesmo dúvidas e temores interiores. No entanto, a verdadeira luz vem quando confirmamos que, em nossas fraquezas, Deus revela Sua força. Ele transforma nossas lutas em oportunidades de crescimento e fortalece nossa fé.

É nas situações mais difíceis que a capacidade de ressurgir está esgotada, como afirma Miqueias. Cada vez que caímos, somos lembrados de que Deus é o especialista em nos erguer. Ele não se alegra com nossas quedas, mas encontra alegria em nos ver levantar.

Siga confiante na promessa divina, sabendo que a luz de Deus te guiará. Ele é a luz que dissipará todas as sombras, iluminando nossos passos e renovando a esperança em nosso coração.

"Quando confiamos em Sua luz, somos capacitadas a superar qualquer escuridão que se apresente."

ANOTAÇÕES

10 OUT

LIBERDADE EM CRISTO: O PREÇO DO PERDÃO

> "(...)
> *'Verdadeiramente, este homem era o Filho de Deus!'."*
> **Marcos 15:39**

"Liberte-se: o perdão é a chave da verdadeira liberdade!"

ANOTAÇÕES

Em meio ao rugir dos trovões naquele dia sombrio, o centurião diante da cruz testemunhou a entrega sacrificial de Jesus. O preço do perdão estava sendo pago não em ouro ou prata, mas no sangue do Filho de Deus. Cada gota derramada era uma oferta de liberdade para todos nós, um convite para soltar as correntes da amargura e abraçar a graça redentora.

Nos momentos mais difíceis da vida, quando somos desafiadas a perdoar, registramos o preço extraordinário que foi pago para que pudéssemos receber o perdão divino. Perdoar não é ignorar a dor, mas escolher não deixar que ela nos aprisione. A liberdade que Cristo oferece é um presente que transcende qualquer mágoa.

Ao perdoarmos, liberamos os outros e a nós mesmos. Deixamos as cargas pesadas aos pés da cruz, onde Jesus disse: "Está consumado". Em Seu sacrifício, encontramos força para perdoar, pois Ele primeiro nos perdoou. Assim, a escolha diária de perdoar é uma expressão de gratidão pelo perdão que recebemos.

Catia Regiely

REVELANDO A AUTORIDADE SOBRENATURAL

11 OUT

> *"Eu lhes dei autoridade para pisar sobre serpentes e escorpiões e sobre todo o poder do inimigo; nada lhes causará dano."*
> **Lucas 10:19**

Não somos apenas espectadoras da vida, mas agentes de transformação. Somos revestidas com o poder divino para enfrentar as adversidades, vencer os desafios e superar os obstáculos. A autorização que recebemos não é apenas uma concessão, mas um convite para participar da manifestação do Reino de Deus aqui na terra.

Essa autoridade não é baseada na nossa força, mas na confiança que depositamos em Deus. Quando compreendemos que essa autoridade é um presente amoroso do Pai Celestial, somos capacitadas a viver de forma ardente e ousada. Não somos limitadas pelo medo, pois sabemos que estamos revestidas com o poder que supera todo o poder do inimigo.

Somos chamadas a usar essa autoridade para fazer a diferença na vida daqueles que nos rodeiam. Podemos enfrentar as mentiras do inimigo, trazer cura aos corações feridos e proclamar a verdade libertadora do Evangelho. Que hoje você decida viver com consciência da autoridade que tem em Cristo, sabendo que é mais que vencedora.

"Na autoridade de Deus eu sou invencível."

ANOTAÇÕES

12 OUT

ENXERGANDO NO ESCURO

> "(...) 'pergunte na casa de Judas por um homem de Tarso chamado Saulo. Ele está orando'."
>
> **Atos 9:11**

Em um mundo muitas vezes obscuro pela incerteza, encontramos força na promessa de que Deus nos guia mesmo quando tudo parece sombrio. Assim como Ananias foi chamado para encontrar Saulo em Damasco, às vezes somos convocadas a enxergar nos lugares mais escuros da vida. Nos momentos de confusão, Deus nos direciona para "a rua chamada Rua Direita", um caminho reto e verdadeiro.

Nossas maiores revelações acontecem quando estamos interessadas em orar e buscar a orientação divina. Em meio à escuridão, encontramos uma luz interior que nos guia e ilumina os passos futuros. Deus não apenas vê nossas lutas, mas também nos capacita a superá-las. O segredo está em abrir nossos olhos espirituais para ver além do que é visível.

Nossas experiências mais desafiadoras se tornam oportunidades para a manifestação do poder divino em nossa vida.

Hoje, permita que a luz de Deus dissipe qualquer sombra que obscureça sua visão. Confie na Sua orientação, sabendo que, mesmo no escuro, Ele é o farol que ilumina o caminho.

"Na escuridão, Deus escreve nossas histórias mais transformadoras. Confie Nele!"

ANOTAÇÕES

O PODER DA INTERCESSÃO

13 OUT

"Por esta razão, também nós, desde o dia em que o ouvimos, não cessamos de orar por vocês (…)."
Colossenses 1:9

Existe um poder transformador na intercessão. Nossas orações têm o potencial de desencadear milagres no coração e na vida daqueles que amamos. Paulo nos lembra da importância de orarmos uns pelos outros, buscando o pleno conhecimento da vontade de Deus.

Ao nos ajoelharmos em oração, mergulhamos na essência do relacionamento com o Pai. Ele nos chama a interceder com ousadia, confiantes de que Ele ouve cada súplica. A intercessão não é apenas um ato, é uma conexão divina que transcende o tempo e o espaço.

"Ore sem cessar" (1Tessalonicenses 5:17) – estas palavras ecoam como um chamado para uma vida de comunhão constante com Deus. A frase impactante que nos impulsiona é: "O poder da oração move montanhas". Nossas intercessões, guiadas pela sabedoria espiritual, desbloqueiam os propósitos celestiais na terra.

Em nossas intercessões, somos focadas em esperança, cura e transformação. Quando oramos, não somos apenas mensageiras; somos cocriadoras com Deus na manifestação de Seu Reino. Que cada petição seja enviada em fé, pois a intercessão não é apenas um clamor, mas um ato de confiança na fidelidade divina.

"Levantemos nossa voz em intercessão, confiantes de que o poder da oração transcende qualquer obstáculo."

ANOTAÇÕES

14 OUT

> "Então, Jó se declarou, rasgou o manto, rapou a cabeça e lançou-se em terra, e adorou."
>
> **Jó 1:20**

LOUVANDO AO SENHOR NOS TEMPOS BONS E MAUS

Em cada estação da vida, a melodia do nosso estímulo ecoa nos ouvidos do Senhor. Nos momentos de alegria, nossos louvores fluem como suaves canções. Mas, ó, como é profundo quando, como Jó, nos ajoelhamos nos tempos difíceis!

A vida é uma sinfonia de altos e baixos, mas nosso entusiasmo não pode ser ditado pelas situações. Jó, no auge da aflição, não se permitiu cair no silêncio amargo. Em vez disso, ele prefere sua voz em louvor.

Hoje, desafie você a imitar Jó. Quando os ventos da adversidade soprarem, erga-se, rasgue as vestes da desesperança e, com humildade, adore. Pois a verdadeira esperança não é um mero reflexo das vitórias, mas uma declaração de confiança inabalável em Deus, que nos sustenta.

Nos momentos bons, celebramos a fidelidade de Deus; nos tempos difíceis, depositamos nossa confiança em Sua soberania.

Ele é digno em todas as situações. Em nossa alegria ou durante as tempestades, encontramos consolo e força para enfrentar o desconhecido. Como Jó, rasguemos o manto da autossuficiência, rapemos a cabeça da preocupação e prostremo-nos diante do Senhor em humildade.

> "Em cada fase da vida, louvamos ao Senhor, confiantes de que Ele é digno em todas as situações."

ANOTAÇÕES

Catia Regiely

PEÇA, PROCURE E BATA

15 OUT

"Peçam, e será dado a vocês; busquem, e encontrarão (...)."
Mateus 7:7-8

Jesus nos encoraja a um diálogo constante com Deus. Ele nos instrui não apenas a pedir, mas também a procurar e bater. Pedir reflete nossa dependência do Pai Celestial; procurando, nossa busca diligente; e bater, a persistência na busca por respostas.

Ao pedir, demonstramos humildade, permitindo que não possamos caminhar em silêncio. A busca ativa revela um coração que anseia por mais de Deus, indo além do superficial. E bater exige coragem. É um ato de persistir mesmo quando parece que a resposta está demorando.

Nesta jornada, descobri que Deus não é um Pai relutante, mas Aquele que se alegra em atender nossas súplicas. Ele não apenas concede o que pedimos, mas nos surpreende com respostas que ultrapassam nossas expectativas. A busca e a persistência nos aproximam Dele, fortalecendo nossa fé e transformando nossa vida.

Em cada passo desta jornada, lembremos: em nossos pedidos, buscas e batidas, Deus não apenas responde, mas nos molda no processo. Ele não está somente interessado em resolver nossos dilemas, mas em nos transformar para que possamos refletir mais de Sua imagem.

> "A promessa é clara: receberemos, encontraremos, e a porta se abrirá."

ANOTAÇÕES

16 OUT

"(...) e os israelitas a procuravam, para que ela decidisse as suas questões."
Juízes 4:5

"Eu sou uma mulher posicionada, ousada, e a minha liderança vem do alto."

ANOTAÇÕES
_____
_____
_____
_____
_____
_____
_____
_____

UMA LÍDER DO ALTO

Débora era uma mulher que estava à frente de uma nação inteira. As pessoas a procuravam para que ela julgasse as suas causas. Ela foi a única juíza mulher da história! Suas profecias se cumpriram todas, pois era Deus realmente quem falava, usando a sua vida.

Você hoje é uma mulher que tem muitas funções, assim como Débora? Ela era esposa, profetisa, juíza, filha e certamente tinha muitas outras funções, como dona de casa, mãe, entre outras. Muitas tarefas e responsabilidades, mas ela dava conta de todas elas com muito sucesso, uma verdadeira líder do alto.

Como é o seu comportamento diante de tantas atividades diárias que você exerce? Você reclama, se estressa, se vitimiza ou faz como Débora, que com autoridade e sabedoria dava seus comandos, conselhos e sempre ouvia a voz do Senhor?

Convido você para estudar mais sobre essa mulher e ter o espírito dela, ser uma mulher multifuncional, ousada, firme, encorajadora, uma líder do alto, uma mulher de Deus.

Catia Regiely

SEJAM FÉRTEIS

> "(...) Sejam férteis e multipliquem-se! Encham e subjuguem a terra! (...)."
> **Gênesis 1:28**

A fertilidade está em nós, mulheres. Nosso útero é nossa terra fértil, onde geramos e damos a vida!

Deus nos dá uma ordem: povoar a terra, gerar e ter filhos. Porém, quero trazer uma visão espiritual. A fertilidade dentro da igreja. Esse é um assunto muito sério e que merece um olhar atento e sem julgamentos, por isso a convido a olhar para você neste momento e refletir como tem sido a sua parte nessa história.

Quando está em comunhão num culto, qual é o seu comportamento? Você tem o cuidado de ajudar o próximo ou fica apenas no seu mundo e vai embora logo que o culto acaba?

Você consegue escutar sem julgamentos e trazer uma palavra de conforto ou exortação, porém com amor?

Quando chega uma pessoa suja na igreja, ou na porta de sua casa, qual é a sua reação?

Você está na igreja para fazer a diferença na vida das pessoas ou apenas para ouvir a mensagem e voltar para casa? Suas atitudes dentro da igreja são as mesmas dentro da sua casa, com a sua família?

"Eu sou fértil espiritualmente! Vivo e expando o Reino para o próximo."

ANOTAÇÕES

18 OUT

LECH LECHA

> "(...) saia da tua terra, do meio dos seus parentes e da casa do seu pai, e vá para a terra que lhe mostrarei."
> **Gênesis 12:1**

No hebraico, quando Deus fala a primeira frase para Abraão, Ele diz: *"Lech Lecha"*, ou seja, *saia para ti mesmo*. Mas o que é sair para si mesmo? É entender que todas as respostas que procuramos estão dentro de nós mesmas. É se jogar, mergulhar no mais profundo do nosso interior, sem ouvir os barulhos que estão fora, para poder ouvir o que está dentro de nós.

Você pode estar pensando: "Mas a vida inteira eu ouvi que o caminho é Jesus…" SIM! O caminho é Jesus!

E agora eu te pergunto: onde Ele escolheu morar? Dentro do seu coração! Então a sua resposta é: vá para dentro! O único caminho é fazer o que Deus mandou Abraão fazer. Saia para ti mesma!

Abraão obedeceu, e agora é com você! Essa é uma decisão que você pode tomar agora e experimentar a mais incrível de todas as descobertas. Porque quanto mais você conhece a si mesma, mais você conhece a Deus, e quanto mais você conhece a Deus, mais você se conhece.

"Escolho olhar para dentro de mim, pois sou templo do Senhor. Ele me dará as respostas de que preciso."

ANOTAÇÕES

Catia Regiely

UM ENCONTRO VERDADEIRO

19 OUT

"(...) Então Jesus declarou: 'Eu sou o Messias! Eu, que estou falando com você'."
João 4:25-26

Naquele dia Jesus passou por Samaria por volta do meio-dia, um horário em que não havia ninguém, pois era a hora mais quente do dia, mas era a hora que essa mulher, pecadora, excluída da sociedade, julgada por todos, podia ir ao poço pegar água.

Jesus pediu a ela um pouco de água, e o espanto dela foi muito grande, pois já estava acostumada a viver excluída. E Jesus a surpreendeu! E ela a partir dali começou a ser transformada. Esse é o verdadeiro encontro que tira e cura todas as sequelas deixadas pelo mundo! É Jesus quem nos mostra quem realmente somos.

Ele fez a mulher reconhecer seus pecados; ela os enfrentou e abriu seu coração para ser libertada! Jesus renovou as emoções da mulher e deu a ela um novo coração. Ele tirou todos os sentimentos que a prendiam ao mundo. E nesse momento ela O reconhece como profeta, ela também O reconhece como Senhor e pede ajuda perguntando a Ele onde poderia adorar.

E Jesus respondeu que ela estava no lugar certo, pois Ele estava em sua frente!

Ele está aí do seu lado neste momento!

"O verdadeiro encontro ocorre quando eu O louvo em espírito e em verdade."

ANOTAÇÕES

20 OUT

> *"Buscai ao Senhor e a sua força; buscai a sua face continuamente."*
> **1Crônicas 16:11**

A BUSCA PELA PRESENÇA CONSTANTE DE DEUS

Ao buscar a face do Senhor, não apenas recebemos força, mas também experimentamos Sua paz, que ultrapassa todo entendimento. Essa busca pela presença constante de Deus é uma jornada que fortalece nossa relação, comunhão e intimidade com Ele.

Buscamos Sua face continuamente, ou seja, todos os dias, por meio de uma vida de adoração, e experimentamos a sua força, que nos capacita a viver de acordo com Sua vontade. Não apenas como uma fonte de consolo, mas uma fonte de renovação.

Em Suas mãos, encontramos a força para superar desafios e a coragem para perseverar diante das adversidades.

Convido você para neste dia caminhar ao lado do Senhor, buscando a face Dele o tempo todo, confiando que a Sua força a impulsionará a conquistar alturas antes inimagináveis.

Assuma esse compromisso com você mesma e com o Senhor, e a cada dia que nascer você O encontrará!

"Busco a sua face continuamente, experimentando a sua força, que me capacita a viver de acordo com sua vontade."

ANOTAÇÕES

_____
_____
_____
_____
_____
_____
_____
_____

Catia Regiely

O AMOR REDENTOR DE DEUS

21 OUT

"(...) Ele nos amou e enviou o seu Filho como propiciação pelos nossos pecados."
1João 4:10

O amor redentor de Deus transcende nossa capacidade humana de amar.

Será que você seria capaz de entregar o seu filho ou alguém que ama em prol de outra pessoa que ainda não conhece, cheia de erros? E, depois de conhecer, em vez de desprezá-la, amá-la?

Deus nos amou de tal maneira que entregou o seu filho por amor! Ele foi capaz desse ato, a fim de nos resgatar e de ter um relacionamento com os seus filhos. Ele nos amou primeiro, mesmo quando ainda não o conhecíamos, e Ele enviou Seu Filho para reconciliar-nos consigo.

Esse amor nos constrange, mas ao mesmo tempo nos ensina a cultivar esse amor em nosso coração; primeiro conosco e depois com o nosso próximo. Um amor sem julgamentos, um amor puro e incondicional.

Desafio você a contemplar esse amor, motivar-se a amar e perdoar aquelas pessoas mais difíceis. Se precisar, faça uma lista de quem você precisa olhar com os olhos de Deus neste dia.

"Sou capacitada a amar e perdoar."

ANOTAÇÕES

22 OUT

O PODER DA ORAÇÃO

"Pedi, e dar-se-vos-á; buscai, e encontrareis; batei, e abrir-se-vos-á."

Mateus 7:7

"Ao provar o poder da oração, pedindo, buscando e batendo, vejo portas se abrirem."

ANOTAÇÕES

O poder da oração persistentemente confiante é revelado nas palavras de Jesus.

A oração não é nem pode ser estabelecida como um momento de pedir o que se quer, mas, sim, deve se tornar um estilo de vida, algo natural, transformador e intransferível. Você tem o poder de transformar a sua vida por meio da oração.

Outra pessoa até pode, em algum momento, ajudá-la em oração, mas não responsabilize outra pessoa nem exija que ela faça por você. Deus lhe deu essa autoridade e você precisa acreditar e usar a seu favor.

A oração é algo íntimo e totalmente relacional com Deus. Ele nos incentiva a pedir, buscar e bater.

Seja perseverante, fundamente-se na confiança em Deus; a sua oração abre portas e revela o agir Dele em nossa vida, mesmo que algumas vezes possamos não receber o que pedimos. A oração é uma expressão que transforma situações, ainda que ela não seja correspondida segundo a nossa vontade.

Catia Regiely

HABITANDO NO ESCONDERIJO

> *"Aquele que habita no esconderijo do Altíssimo, à sombra do Onipotente descansará."*
> **Salmos 91:1**

Imagine um dia extremamente quente, com o sol bem forte. Qual o valor que a sombra tem nesse momento? Ela tem o poder de nos proteger, abrigar, refrescar e nos dar descanso. O mesmo acontece em nossas tribulações: essa sombra é o esconderijo de Deus e nela podemos nos sentir protegidas e refugiadas em um dia mau.

Nem todos terão esse privilégio de estar seguros, acolhidos e protegidos por Ele, pois não querem *habitar* Nele.

Essa Palavra nos ensina que habitar no esconderijo do Altíssimo está muito além de estar presente todos os domingos na igreja, mas estar em Sua presença todos os dias.

Se você entendeu isso, esse lugar de descanso e refrigério está disponível, e é só acessá-lo com vida e coração. Sim, há uma recompensa para aqueles que decidem permanecer por perto, se envolver com Ele. Sob Sua sombra, você desfruta do conforto, do descanso e da segurança que Ele tem a oferecer.

Ao confiarmos na proteção divina, experimentamos a paz que só pode ser encontrada no amor e na proteção incondicional de Deus.

> *"Eu habito no esconderijo do Altíssimo, confiando na Sua proteção, que traz paz à minha alma."*

ANOTAÇÕES

24 OUT

A VERDADEIRA HUMILDADE

"Antes, ele dá maior graça; pelo que diz: Deus resiste aos soberbos, mas dá graça aos humildes."
Tiago 4:6

Ser humilde não é viver na pobreza e muito menos não desejar ser uma pessoa próspera. A humildade diante de Deus é uma manifestação de sabedoria espiritual.

Ele concede graça aos humildes e a todo aquele que decide manifestar sua dependência e confiança Nele; enquanto isso, resiste aos soberbos, aqueles que confiam em si mesmos, em suas próprias forças, em seus próprios sentimentos, em seus próprios braços e em suas próprias emoções e sentimentos.

O homem natural em si tem suas limitações, debilidades e dificuldades e é sempre inclinado a realizar o que não é bom, por isso a verdadeira humildade está em ter a consciência de que necessitamos dessa graça.

Experimente, hoje, viver de maneira humilde, aprofundando-se na sabedoria espiritual de Deus, olhando para suas emoções, seus pensamentos e entendimentos com um novo significado, que Deus a capacitará e lhe dará a sabedoria necessária para superar e ressignificar.

"Deus dá graça aos humildes, e não aos orgulhosos."

ANOTAÇÕES

Catia Regiely

ELE CARREGA O SEU FARDO

25 OUT

"Bendito seja o Senhor, que de dia em dia leva os nossos fardos! Deus é a nossa salvação."
Salmos 68:19

Bendito seja o Senhor, que de dia em dia leva os nossos fardos! Em meio às tramas da vida, somos lembradas de que não carregamos nossos encargos sozinhas. Deus, em Sua infinita graça, é nosso auxílio constante, aliviando o peso que nos oprime.

Apesar de os dias serem inconstantes, alguns sendo belos desde o amanhecer até o anoitecer e outros sendo terríveis antes mesmo de começar, Deus é Aquele que carrega diariamente nossos fardos, lutas, sentimentos contrários e nos favorece com benefícios, revelando Sua estabilidade e fidelidade, amor e cuidado.

A confiança na soberania de Deus é fundamentada na constante provisão divina. E, ao considerar Sua salvação em nossa vida, confiamos na soberania Dele em todos os aspectos, descansando em Seu cuidado constante.

Seja grata e reconheça essa grandeza! Enfrente cada desafio com a confiança de que o Senhor está com você e lhe oferece socorro, alívio e uma fonte inesgotável de esperança. Creia que, não importa se o dia é belo ou terrível, em todos os momentos Ele estará com você.

"Confio na soberania de Deus, que carrega os meus fardos e pesos e me permite descansar em Seu amor!"

ANOTAÇÕES

26 OUT

AMOR ÁGAPE

> *"O amor não faz mal ao próximo. De sorte que o cumprimento da lei é o amor."*
> **Romanos 13:10**

O amor ágape é como uma fonte fluindo incessantemente e incondicionalmente. É o amor divino, que transcende qualquer compreensão humana.

Você consegue sentir esse amor que vem direto de Deus para a sua vida?

Esse amor transcende barreiras e é mais profundo que qualquer mágoa. Ele se doa sem esperar retorno, é generoso e perdoador. O amor ágape é um farol em meio à escuridão, uma luz que guia e transforma vidas. O amor ágape transforma relacionamentos, muda situações e torna tudo muito mais favorável, guiando-nos na prática do amor que reflete o coração de Deus.

Amar é uma necessidade básica; necessitamos amar e ser amadas sempre. Nós vivemos nossos dias em busca desse amor; não há a possibilidade de uma vida existir sem amor.

Sabia que você pode aprender e viver esse amor, amando e se sentido amada de maneira incondicional, sem pedir nada em troca?

Desafio você neste dia a amar dessa maneira, sem olhar a quem. Vamos?

"Ao praticar esse amor que não faz mal ao próximo, reflito o coração de Deus em meus relacionamentos."

ANOTAÇÕES

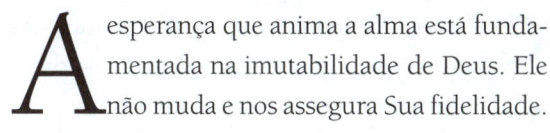

A ESPERANÇA QUE ANIMA A ALMA

27 OUT

"Porque eu, o Senhor, não mudo; por isso, vós, ó filhos de Jacó, não sois consumidos."
Malaquias 3:6

A esperança que anima a alma está fundamentada na imutabilidade de Deus. Ele não muda e nos assegura Sua fidelidade. Em qualquer tempo podemos confiar na esperança que Deus fornece, sabendo que Sua promessa é segura e nosso coração é fortalecido pela certeza de Sua constância. E que Ele nunca nos decepcionará, pois o seu amor e misericórdia duram para sempre.

Que alegria maior pode habitar em nosso coração senão essa certeza de que o Deus que nos amou antes continua nos amando fielmente e continuará a nos amar?

Não importa o que aconteça ou o que você faça, Ele nunca mudará e não deixará que seja consumida. A única pessoa que pode consumi-la, por intermédio de seus medos, pensamentos negativos, vaidade e orgulho, é você mesma. Mas a partir de agora você pode se apoiar nessa esperança e se acolher com gentileza e carinho.

Essa promessa é extraordinária, e não precisamos de mais nada para que nosso coração seja preenchido com esperança.

"Confio na esperança que anima a minha alma."

ANOTAÇÕES

28 OUT

A CONQUISTA DA VITÓRIA EM CRISTO

"Mas graças a Deus, que nos dá a vitória por intermédio de nosso Senhor Jesus Cristo."
1Coríntios 15:57

Se você se encontra em dúvida de qual caminho seguir, sente-se angustiada, perdida, desorientada e de alguma maneira precisa de ajuda, ou talvez de um conselho, creia que tudo isso se encontra na conquista da vitória em Cristo, o que para nós é motivo sempre de muita gratidão e alegria.

A vitória que celebramos não é fruto de nossos próprios méritos, mas um presente divino que se revela na obra redentora de Jesus. Ele é nosso caminho para a vitória sobre as trevas, nossa esperança nas horas mais sombrias.

Faça dessa verdade a sua coragem e fortaleza. A vitória não é apenas um destino, mas uma jornada vivida com fé, ancorada na certeza de que somos mais que vencedoras por meio Daquele que nos amou.

Deus é o autor de nossa vitória! Ele nos guia em cada desafio!

Você tem essa convicção ou ainda se sente perdida?

"Em todas as batalhas, confio na certeza da vitória que Deus me concede por meio de Jesus."

ANOTAÇÕES

Catia Regiely

NO FINAL, RESTARÁ APENAS O AMOR

29 OUT

"Assim, permanecem agora estes três: a fé, a esperança e o amor. O maior deles, porém, é o amor."
1Coríntios 13:13

Como um cântico divino, recordamo-nos da tríade que sustenta a essência da vida. A fé, firme e inabalável, é a âncora que nos conecta ao divino. A esperança, como a aurora que rompe a escuridão, ilumina nossos dias mesmo nos momentos mais sombrios. E, por fim, o amor, sublime e incomparável, transcende todas as coisas.

O amor, não como mero sentimento, mas como ação e escolha contínua, é o elo entre os corações e transforma realidades. Ele é o poder que supera desafios, perdoa transgressões e sustenta a humanidade em sua jornada.

Desafio você, em cada passo que você der nesta terra, a cultivar a fé, a esperança, mas acima de tudo o amor, pois ele nos define. Ele nos ensina como olhar e tratar o próximo e a nós mesmas.

A sua vida será um testemunho vivo do amor que flui do Senhor para outras vidas, sendo como um canal de transformação neste mundo sedento de compaixão. Assim, você estará capacitada a enfrentar os desafios da existência e a viver de acordo com esses pilares eternos.

"É no amor que encontramos a plenitude da vida."

ANOTAÇÕES

30 OUT

> *"Clama a mim, e responder-te-ei e anunciar-te-ei coisas grandes e firmes que não sabes."*
> **Jeremias 33:3**

"Eu clamo, e o Senhor me revela as mais lindas surpresas."

ANOTAÇÕES

A CONFIANTE BUSCA POR RESPOSTAS EM DEUS

O convite é claro, uma chamada para a comunhão e confiança. Diante dos mistérios do amanhã, somos encorajadas a levantar nossa voz em clamor. Deus, em Sua infinita sabedoria, não apenas responde, como também nos revela coisas maravilhas além da nossa compreensão.

Nós podemos pedir, sim; Ele sabe o que está dentro do seu coração, mas deseja ouvir da sua boca. Ele é o seu Pai e nunca vai deixar você falando sozinha. Mesmo que a resposta não seja a que você espera ou no tempo que você quer, ela certamente chegará. Ele não apenas ouve, mas responde com graça e amor, e Suas promessas ultrapassam os limites do que podemos imaginar.

Permita-se viver as surpresas do seu Pai! Em Suas respostas você descobrirá não apenas soluções, mas a presença constante do Deus que conhece todas as coisas. E conseguirá experimentar a beleza de Sua resposta e do seu infinito amor.

Catia Regiely

ALEGRIA DA COMUNHÃO COM DEUS

A alegria da comunhão com Deus é incomparável. Essa alegria encontrada na presença Dele não é passageira; é uma fonte inesgotável que nos nutre. Mesmo nas estações mais desafiadoras da vida, podemos confiar que Sua presença traz alegria e permanece firme e constante. Em Sua mão direita encontramos delícias que ultrapassam qualquer prazer terreno: tesouros espirituais e uma plenitude que perdurará para sempre.

Plenitude essa que não pode ser comprada nem roubada, não pode ser emprestada, mas, sim, estabelecida em nossa vida por um relacionamento íntimo, diário, com Deus, por meio da adoração e de uma busca incessante de conhecimento e sabedoria que alcançamos através de Sua Palavra.

Permita-se ser guiada por Deus em seus caminhos da vida; experimente a alegria que transcende toda e qualquer que seja a situação, pois ela está fundamentada na presença do Senhor.

31 OUT

"Tu me farás ver os caminhos da vida; na tua presença há plenitude de alegria; à tua mão direita há delícias perpetuamente."
Salmos 16:11

"A minha alegria é ser uma com Ele."

ANOTAÇÕES

NOVEMBRO

O PODER DA COMPAIXÃO

01 NOV

"(...) porque Deus resiste aos sóbrios, contudo, aos humildes, conceda a sua graça."
1 Pedro 5:5

Vivemos em um tempo em que essa geração é a mais informada, por causa do aumento de redes sociais e seus conteúdos bons, que nos ajudam, auxiliam e nos impactam. Em contrapartida, outros conteúdos, péssimos, fazem essa ser uma das gerações mais sem sabedoria e conhecimento, tornando-os ansiosos, sensíveis ao extremo e expressivos sem moderação.

Todo esse movimento os faz acreditar que não precisam de instrução, pois antes sua lógica é que tudo de que precisam está em suas mãos: o celular. Assim vão perdendo a chance de ouvir, entender, vivenciar a sabedoria que vem daqueles que os antecederam e ainda manifestam a glória de Deus.

Há um poder magnífico em se sentar à mesa com os mais velhos e ouvir a manifestação de Deus sobre a vida deles. Temos o dever de não deixar isso se perder! Como está o seu relacionamento com os seus filhos?

Desafio você a fazer um jantar especial com sua família e convidar todos a se sentar à mesa, para vocês terem esse momento.

"Pratique a humildade e a escuta ativa para poder experimentar a abundância da graça divina em sua vida."

ANOTAÇÕES

02 NOV

EU O EXULTAREI

> *"Todavia, eu me alegrarei no Senhor, exultarei no Deus da minha salvação."*
> **Habacuque 3:18**

"Eu me alegrarei e exultarei no Deus da minha salvação!"

ANOTAÇÕES

A esperança que supera as adversidades, as dificuldades, todos os nossos tormentos cotidianos é fundamentada na alegria do Senhor.

Mesmo diante de muitas dificuldades, somos chamadas a mudar nossa perspectiva, somos convidadas a encarar os nossos desafios e batalhas, não como o mundo vê, como algo ruim, sem sentido. *Não!*

Nós podemos e temos a capacidade e a consciência de sempre, em qualquer tempo, situação ou circunstância contrária, encontrar verdadeiros motivos pelos quais podemos alegrar-nos em Deus, no Deus da nossa eterna salvação.

Desafio você, hoje, a fixar a sua esperança Nele! Você é capacitada, fortalecida, orientada, revigorada a permanecer firme e inabalável para enfrentar os desafios com fé e confiança na vitória que temos em Cristo Jesus.

O mundo pode até tentar nos orientar e nos ajudar, mas nós devemos manter nossos olhos firmes no Senhor e em Sua Palavra com alegria constante.

Catia Regiely

O FRUTO DA OBEDIÊNCIA

03 NOV

"Se quiserdes e me ouvirdes, comereis o melhor desta terra."
Isaías 1:19

Encontramos uma promessa divina e condicional: o convite para desfrutar do melhor desta terra, condicionado à vontade de obedecer a Deus. A oferta de Deus é abundante, mas a experiência do melhor exige uma resposta positiva da nossa parte. O ato de querer e ouvir Deus implica alinhar nosso coração com a Sua vontade.

Quando escolhemos querer o que Ele quer e ouvir Sua orientação, somos conduzidas a uma jornada de vitórias e favor divino.

Deus deseja nos abençoar não apenas por nossa gratificação, no entanto a promessa está intimamente ligada à nossa disposição de querer e ouvir.

A aprovação não é uma obrigação imposta, mas uma resposta amorosa à graça de Deus. Quando nos submetemos ao Seu governo em nossa vida, somos guiadas ao melhor que Ele tem.

"Escolho a aceitação como resposta à Sua graça, certa de que Sua promessa se cumprirá em minha vida."

ANOTAÇÕES

04 NOV

LIBERTADA PELA VERDADE

"Conhecereis a verdade, e a verdade vos libertará."
João 8:32

"Eu permito que a verdade de Jesus permeie cada área da minha vida e dissipe todas as sombras."

ANOTAÇÕES

Jesus proclamou essas palavras poderosas destacando a ligação intrínseca entre conhecimento da verdade e liberdade. A verdade que Ele oferece não é apenas um conjunto de fatos, mas uma revelação transformadora do próprio Deus e Seu plano redentor.

A busca pela verdade não é apenas intelectual, mas uma jornada de libertação que alcança o coração. Conhecer a verdade, no contexto de Jesus, significa estar em um relacionamento íntimo com Ele, que é a personificação da verdade.

Essa libertação vai além das correntes físicas, das amarras espirituais, emocionais e mentais que nos prendem; ela dissipa as trevas da mentira, do engano e da ilusão, trazendo clareza e discernimento à nossa jornada.

Entender a verdade exige humildade para refletir nossa necessidade de orientação divina e coragem para enfrentar as mentiras que nos aprisionam.

Renda-se à verdade de Jesus e seja libertada do jugo do pecado, do medo e da confusão.

Catia Regiely

VIDA EM ABUNDÂNCIA

05 NOV

"O ladrão vem apenas para roubar, matar e destruir; eu vim para que tenham vida e a tenham plenamente."
João 10:10

Jesus apresenta uma clara dicotomia entre sua missão e a obra do ladrão. Enquanto o ladrão visa roubar, matar e destruir, Jesus veio para oferecer vida em abundância.

O ladrão, representando forças malignas e o inimigo espiritual, busca roubar nossa alegria, matar nossas esperanças e destruir nossos relacionamentos. Sua intenção é nos deixar vazias, desanimadas e espiritualmente mortas. Por outro lado, Jesus é o portador da vida plena.

Sua vinda não é para restringir ou limitar, mas para proporcionar uma vida que transcende as expectativas. Ele oferece vida espiritual, emocional e relacional em sua plenitude, preenchendo os vazios deixados pelo ladrão.

Vida em abundância com Jesus não significa ausência de desafios, mas a presença constante do pastor que nos guia para uma vida cheia de propósito, significado e esperança.

Permita que Ele restaure o que foi roubado e cure o que foi ferido; construa uma vida plena em Sua presença.

"Em meio aos desafios, escolho seguir Jesus, o doador da vida abundante."

ANOTAÇÕES

06 NOV

FÉ NA PRÁTICA

> "E sede cumpridores da palavra, e não somente ouvintes, enganando-vos a vós mesmos."
> **Tiago 1:22**

"Não serei enganada, mas transformada pela prática autêntica da fé."

ANOTAÇÕES

A instrução de Tiago ressoa como um convite a danos e comprometimento. Ele nos instiga a não apenas ouvir a Palavra, mas a incorporá-la em nossa vida diária.

Como tem sido a sua vivência com a Palavra?

A fé prática é mais que uma mera observação; é uma resposta ativa. Ao sermos "cumpridores da palavra", traduzimos a verdade divina em ações tangíveis. Isso vai além da compreensão intelectual para uma aplicação real e transformadora.

O alerta contra a autoilusão é essencial. A autoilusão nos impede de viver a plenitude da vida cristã. A verdadeira fé se manifesta em atos de amor, serviço e obediência.

O simples ato de ouvir sem agir é um engano pessoal. A fé sem obras é uma fé superficial, incapaz de produzir frutos duradouros, mas, ao agir de acordo com a Palavra, não apenas moldamos nosso caráter, mas também revelamos o poder transformador da verdade divina aos outros.

Convido você a viver essa luz brilhante em sua vida.

A LUZ QUE PREVALECE NAS TREVAS

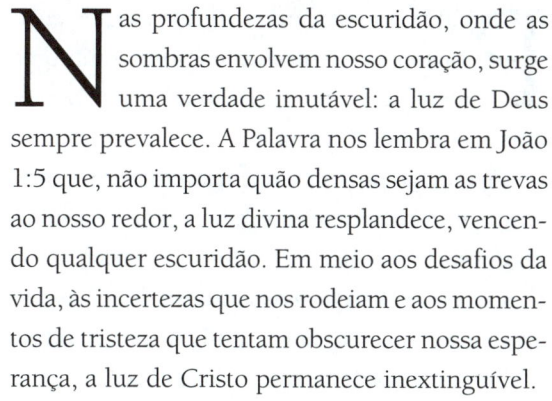

07 NOV

"A luz resplandece nas trevas, e as trevas não prevalecem contra ela."
João 1:5

Nas profundezas da escuridão, onde as sombras envolvem nosso coração, surge uma verdade imutável: a luz de Deus sempre prevalece. A Palavra nos lembra em João 1:5 que, não importa quão densas sejam as trevas ao nosso redor, a luz divina resplandece, vencendo qualquer escuridão. Em meio aos desafios da vida, às incertezas que nos rodeiam e aos momentos de tristeza que tentam obscurecer nossa esperança, a luz de Cristo permanece inextinguível.

Quando enfrentamos períodos de desespero, devemos lembrar que nossa fonte de luz é inabalável. Deus é a luminosidade que guia nossos passos, dissipando medos e dissipando dúvidas. Não somos deixadas à mercê das trevas, pois a promessa divina é clara: a escuridão nunca será forte o suficiente para apagar a luz da presença de Deus em nossa vida.

Ao abraçarmos essa verdade, podemos enfrentar cada desafio com confiança, pois a luz que nos guia é mais poderosa que qualquer escuridão que tente nos envolver.

Que as trevas se dissipem diante da luminosidade divina que habita em você.

"Na escuridão, Sua luz brilha! Confio, pois a vitória é certa."

ANOTAÇÕES

08 NOV

FRUTOS QUE TRANSFORMAM

"Mas o fruto do Espírito é: amor, alegria, paz, paciência, benignidade, estabilidade, fé, mansidão, temperança. Contra essas coisas não há lei."

Gálatas 5:22-23

"Hoje eu decido manifestar os frutos do Espírito em minha vida."

ANOTAÇÕES

Paulo, em sua carta aos Gálatas, nos ensina sobre os frutos do Espírito como uma marca que distingue aqueles que vivem guiados pelo Espírito Santo.

Esses atributos não apenas adornam, como também transformam o caráter daquelas que os manifestam.

O amor é a essência da natureza divina. A alegria e a paz fluem quando confiamos no controle divino, independentemente das situações.

A paciência e a benignidade refletem uma postura compassiva em relação aos outros, enquanto a bondade manifesta-se em atos benevolentes.

A fé não é apenas uma crença intelectual, mas uma confiança viva em Deus.

A mansidão envolve humildade e submissão à vontade de Deus, enquanto a temperança demonstra autocontrole em meio às tentações.

Esses frutos, operando em conjunto, formam um caráter cristão maduro e resistente. Eles não estão sujeitos à lei, pois emanam do coração transformado pelo poder de Deus.

Decida, hoje, viver uma vida que reverbera os frutos do espírito.

Catia Regiely

ORIENTADA PELA LUZ DIVINA

09 NOV

"Lâmpada para os meus pés é tua palavra e luz para os meus caminhos."
Salmos 119:105

Esse texto é uma pérola que nos fala sobre a orientação divina fornecida pela Palavra de Deus.

Assim como uma lâmpada ilumina o caminho à nossa frente, a Palavra de Deus traz luz aos nossos passos na jornada da vida. Em um mundo repleto de incertezas e trevas espirituais, a Palavra é a luz que dissipa a escuridão.

Nossos "caminhos" não representam apenas o percurso físico, mas todas as áreas de nossa vida. Deus nos guia em grandes decisões e também ilumina os detalhes do dia a dia. A Palavra de Deus é aplicável a cada situação, tornando-se uma bússola confiável.

Ela não apenas nos informa, mas transforma nossa perspectiva. Ao mergulharmos nas Escrituras, permitimos que a luz divina inunde nossa mente e nosso coração, e nos tornamos dependentes dela, que é uma necessidade vital.

Como está o seu relacionamento com a Palavra de Deus? Ela tem sido a sua lâmpada?

> **"A Palavra de Deus é lâmpada para os meus pés e luz para meus caminhos."**

ANOTAÇÕES

10 NOV

> *"No demais, irmãos meus, fortalecei-vos no Senhor e na força do seu poder."*
> **Efésios 6:10**

FORTALECIDA NA FORÇA DIVINA

Paulo, nesse texto, nos chama a uma ação específica: *fortalecer-nos no Senhor*. Esse apelo não se baseia em nossa própria força, mas na fonte inesgotável do poder divino. Nossa jornada espiritual é constante, e precisamos nos fortalecer continuamente.

O chamado é direcionado não apenas aos indivíduos isoladamente, mas à comunidade. A força mútua é encontrada na união em Cristo, na qual, juntas, nos apoiamos na caminhada da fé.

O local do fortalecimento é crucial: "no Senhor e na força do seu poder". Aqui, somos lembradas de que nossa força não é comprovada por métodos humanos, mas pela conexão com o próprio Deus. Ao nos fortalecermos, somos revestidas de Sua armadura, preparadas para enfrentar os desafios que surgem. Isso implica confiança total na suficiência da graça divina.

Convido você a vestir-se dessa armadura hoje e experimentar a força e o poder do Senhor. A força do poder divino é ilimitada, e, ao nos ancorarmos nela, descobrimos que não estamos limitadas por nossas fraquezas.

> **"A graça nos capacita a superar, a perseverar e a alcançar alturas que, por nossa conta, seriam inatingíveis."**

ANOTAÇÕES

Catia Regiely

SERVIR COM DEDICAÇÃO

11 NOV

"E, tudo quanto fizerdes, fazei-o de todo o coração, como ao Senhor e não aos homens."
Colossenses 3:23

Você tem feito as suas atividades como se fosse para o Senhor?

Essa é uma atitude que transcende as simples tarefas diárias, tornando cada ação uma expressão de serviço a Deus.

Peça a Deus a graça de realizar todas as atividades com dedicação e excelência, consciente de que, ao fazê-lo, está trabalhando diretamente para o Senhor.

A instrução "fazei-o de todo o coração" destaca a importância da motivação interna, ou seja, não devemos apenas realizar tarefas por obrigação, mas com amor e devoção, como se estivéssemos executando diretamente para o Senhor.

"Como ao Senhor, e não aos homens" realça a perspectiva correta ao abordar nossas responsabilidades diárias. Quando mantemos o foco em Deus, nossa motivação é renovada, e encontramos significado mesmo nas tarefas aparentemente simples e chatas.

Ore comigo: "Senhor, tudo que eu fizer hoje e sempre, seja com meu coração voltado a Ti, satisfeita com excelência e amor. Reconheço que minhas ações têm um propósito maior, e, ao fazê-las, estou honrando a Ti".

"Manter o foco em Deus é renovar minha motivação diária."

ANOTAÇÕES

12 NOV

VISÃO ALÉM DAS APARÊNCIAS

"Por isso, não desanimamos. (...)."
2Coríntios 4:16

"Veja além, creia além, seja além. Renove-se em fé!"

ANOTAÇÕES

Em um mundo repleto de aparências, somos frequentemente desafiadas a enxergar além das máscaras que todos usamos. O apóstolo Paulo nos lembra, em 2Coríntios 4:16, que nossa verdadeira essência vai além do que é visível aos olhos. Mesmo quando a vida nos desgasta por fora, há uma renovação interior constante.

A sociedade muitas vezes nos pressiona a buscar padrões de beleza e sucesso que são superficiais. No entanto, Deus nos convida a olhar para além das aparências e nos concentra na obra que Ele está realizando em nós a cada dia. Cada desafio, cada lágrima e cada sorriso desenham a história da nossa jornada espiritual.

Em nossos momentos mais desgastantes, é vital lembrar que Deus está nos transformando internamente. Ele está esculpindo a Sua imagem em nosso coração, tornando-nos mais parecidas com Ele. Portanto, não desanimemos diante das pressões externas, pois a verdadeira beleza está na graça que Deus derrama sobre nós.

Nossa visão não deve ser moldada pelos critérios do mundo, mas pela perspectiva eterna do amor de Deus. Ele nos vê além das máscaras que usamos, conhecendo o nosso verdadeiro eu, e nos ama incondicionalmente.

Catia Regiely

ALMA GRATA

13 NOV

> "Bendize, ó minha alma, ao Senhor, e tudo o que há em mim bendiga o seu santo nome. (...)."
> **Salmos 103:1-2**

Uma alma grata é reconhecida pelas vitórias divinas, rendida à generosidade de Deus. Essa deve ser a melodia que ecoa no seu coração, uma verdadeira sinfonia de agradecimento por cada dádiva que o Senhor generosamente derrama.

A gratidão é a ponte que conecta nossa vida a Deus, uma expressão de reconhecimento por Sua bondade. Ao contemplar cada bênção recebida, nossa alma se abre em louvor.

Lembre-se de cada benefício como um testemunho do amor constante do Senhor. A gratidão é a nossa âncora e nos faz recordar que somos sustentadas por mãos misericordiosas.

Bendizer o nome santo do Senhor é mais que um ato de devoção: é uma postura de humildade diante da grandeza do Criador. A cada respirar eu desejo que a sua alma proclame a gratidão!

Durante suas orações, reflita sobre os benefícios que Deus tem derramado sobre você. Agradeça Sua fidelidade, amor e graça infindável e desfrute de cada dia.

> **"Com uma alma grata, bendigo o Senhor."**

ANOTAÇÕES

papo com Deus

14 NOV

INABALÁVEL NA MISSÃO DIVINA

> "(...) mantenham-se firmes e que nada abale a dedicação de vocês ao trabalho do Senhor, pois vocês sabem que, no Senhor, o trabalho de vocês não será inútil."
>
> **1Coríntios 15:58**

Nossa jornada na obra do Senhor é como um delicado bordado, em que cada ponto tem um propósito divino. Nos momentos desafiadores, quando a fadiga tenta nos desviar, lembremos desta verdade: o que fazemos para o Senhor não é em vão. Cada ato de amor, cada palavra de encorajamento, cada sacrifício em Sua obra está sendo entrelaçado no tecido eterno do Reino.

Quando a rotina tenta roubar nossa paixão, quando as adversidades sussurram a desistência, lembremo-nos de que nossa firmeza é uma declaração de fé. A promessa divina é clara: nosso esforço não é fútil, pois está enraizado na promessa de um Deus que transforma o ordinário em extraordinário.

Que nossa dedicação seja como uma âncora, firmando-nos nas águas tumultuadas da vida. Cada ação, por menor que seja aos olhos humanos, é uma resposta ao chamado do Senhor. Perseveremos, não apenas porque somos capazes, mas porque Ele é capaz de completar a boa obra que começou em nós.

"Persevere, pois cada passo na obra do Senhor é um testemunho eterno."

ANOTAÇÕES

Catia Regiely

O SILÊNCIO DA ESPERA

15 NOV

"Mas os que esperam no Senhor renovam as suas forças, sobem com asas como águias (...)."
Isaías 40:31

A promessa divina de renovar as forças daqueles que esperam no Senhor é uma fonte de encorajamento para nós, mulheres. A espera não é apenas um período de paciência, mas um tempo de renovação e fortalecimento na presença do Senhor.

Convido você a reservar, a partir de hoje, em suas orações, momentos para esperar silenciosamente no Senhor. Confiar Nele durante os períodos de espera não apenas aumenta nossa resistência espiritual, mas também nos capacita a enfrentar desafios com fé renovada.

A metáfora das asas de águia sugere uma elevação acima das estatísticas, afirmando que, ao esperarmos no Senhor, estamos capacitadas para superar desafios com uma perspectiva celestial.

Na jornada da vida, a espera paciente no Senhor nos sustenta e fortalece, permitindo-nos perseverar sem desfalecer.

Que você encontre em Deus asas de águia, fôlego para não se cansar e uma caminhada sem fatigar, confiante na força que Ele proporciona para aqueles que esperam Nele.

"Receba diariamente a renovação necessária para seguir!"

ANOTAÇÕES

16 NOV

> "Confia ao Senhor as tuas obras, e teus pensamentos serão definidos."
>
> **Provérbios 16:3**

CONFIANDO MEUS PLANOS AO SENHOR

A cada dia somos desafiadas a tomar decisões, a traçar planos, e temos muitos sonhos que desejamos realizar. No entanto, muitas vezes nos sentimos sobrecarregadas pela responsabilidade de guiar nossos próprios passos.

Esse texto nos ensina a reconhecer a soberania de Deus em nossa vida, pois Ele conhece o caminho que devemos seguir e tem o poder de estabelecer nossos pensamentos de acordo com Sua vontade.

Isso não significa que não devemos fazer planos ou trabalhar diligentemente, mas, sim, que nossa confiança final esteja apoiada no Senhor. Quando entregamos nossos projetos a Ele, experimentamos a paz que transcende a nossa compreensão.

Deus não apenas guia nossos passos, mas também alinha nossos pensamentos com seus propósitos. Isso nos libera da ansiedade e nos capacita a caminhar com confiança, sabendo que Ele está no controle.

Desafio você a orar e pedir orientação divina em seus planos e projetos, neste dia.

"Ao confiar meus planos ao Senhor, experimento a paz que estabelece meus pensamentos e direciona meus passos."

ANOTAÇÕES

Catia Regiely

O QUE FAZER NA ANGÚSTIA?

17 NOV

"Os justos clamam, e o Senhor os ouve e os livra de todas as suas angústias (...)."
Salmos 34:17-18

Quando a angústia a cercar, lembre-se de que os justos clamam, e o Senhor os ouve. Deus não apenas ouve, mas também livra seus filhos de todas as suas angústias. Ao enfrentar dificuldades, clame ao Senhor, de todo o seu coração, confiante em Sua prontidão.

Quando você clama com o coração sincero e quebrantado, o Senhor reconhece a sua dependência e necessidade e a atende ou responde. Independentemente de qual for a resposta, saiba que Ele está ainda mais próximo de você, cuidando de você e a guiando.

O Senhor se alegra em estar perto das filhas que têm o coração quebrantado e salva os contritos de espírito. Em meio às angústias, encontramos conforto ao nos aproximar de Deus com humildade.

Não sei como anda o seu coração, mas pense em algo que a deixa angustiada e clame ao Senhor, contemplando como a proximidade Dele é um consolo para o seu coração.

"Ele é meu refúgio seguro, perto dos corações quebrantados."

ANOTAÇÕES

18 NOV

> *"Nisto conhecerão todos que são meus discípulos: se tiverem amor uns aos outros."*
>
> **João 13:35**

"Nossas palavras convencem, mas nosso exemplo arrasta."

ANOTAÇÕES

PLANTE AMOR COM INTENCIONALIDADE

O verdadeiro selo do seguidor de Cristo não está apenas em palavras, mas em atitudes impregnadas de amor.

Você tem a marca do amor em sua vida? As suas ações estão sendo exemplos positivos para os que a cercam?

As nossas palavras convencem, mas os nossos exemplos arrastam multidões. As nossas ações revelam ao mundo a transformação que o amor de Cristo operou em nós. Nesse imperativo divino, encontramos um chamado para transcender diferenças, perdoar ofensas e estender a mão ao necessitado.

Que ao olharem para você encontrem não apenas uma discípula, mas uma embaixadora do amor que Cristo exemplificou. Você tem essa autoridade em Cristo para fazer discípulos e principalmente amar uns aos outros.

Que o amor uns pelos outros seja uma luz que ilumina os caminhos escuros, uma fonte de esperança em meio à desilusão. Que esse amor seja ativo, prático e capaz de curar feridas, construir pontes e inspirar mudanças transformadoras.

A DIREÇÃO DIVINA

19 NOV

"Em todos os teus caminhos, reconhece-O, e Ele endireitará as tuas veredas."
Provérbios 3:6

A confiança na direção divina requer o reconhecimento de Deus em todos os caminhos. Não há distinção; a Palavra é clara quando diz que devemos reconhecer o Senhor "em todos os caminhos". A confiança plena em Sua orientação nos conduz a um caminho seguro e alinhado com Sua vontade.

Ao entregarmos nossos caminhos ao Senhor, Ele guia nossos passos e endireita nossas veredas, ou seja, nosso caminho. Há orientação, discernimento e entendimento de como percorrer esse caminho. Há uma movimentação para que aquilo que não condiz ou pode de alguma maneira nos atrapalhar seja pelo Senhor endireitado, restabelecido.

O convite de hoje é confiar teus passos ao Senhor, reconhecer a Sua presença, para Ele endireitar seus caminhos.

Deus é a bússola que guia e a luz que ilumina. Confia Nele, e encontrarás firmeza em cada passo.

"Ele guia meus passos e endireita minhas veredas."

ANOTAÇÕES

20 NOV

VOCÊ TEM A MENTE DE CRISTO

> "E não vos conformeis com este mundo, mas transformai-vos pela renovação da vossa mente (...)."
> **Romanos 12:2**

> **"Renovar os pensamentos é desligar-se dos padrões do mundo."**

ANOTAÇÕES

Entender que você tem a mente de Cristo é também entender que você pode pensar como Ele. Renovar a sua mente consiste em, diariamente, se policiar e autoanalisar os seus pensamentos e padrões que se repetem dentro de sua mente.

Renovar os pensamentos é desligar-se dos padrões do mundo, do que parece certo, mas biblicamente não é; é nos afastarmos daquilo que pode nos impedir de viver com uma mente fortalecida e capaz de discernir a verdadeira vontade do Pai.

Comece pensando quais pensamentos negativos você precisa transformar em positivos. Se sentir necessidade, escreva, assim conseguirá memorizar e não esquecerá.

As nossas ações interferem diretamente no resultado que buscamos; então, iniciando por essa lista de pensamentos a serem ressignificados, você já terá um resultado surpreendente.

Essa transformação nos capacita a discernir verdadeiramente e a viver a vontade boa, agradável e perfeita de Deus em nossa vida.

Catia Regiely

NA CASA DO PAI HÁ MUITAS MORADAS

21 NOV

"Não se turbe o vosso coração; crede em Deus, crede também em mim. (...)."
João 14:1-3

Essa promessa é como um bálsamo para o coração inquieto; ela transcende as nossas preocupações. Jesus nos convida a confiar Nele da mesma maneira que confiamos em Deus.

Ele assegura que há um lugar especial, preparado com amor e cuidado, na casa do Pai para cada um de nós. Ao meditarmos nessa promessa, somos lembrados de que Jesus não apenas prepara um lugar para nós, mas também retorna para nos levar consigo.

Ele é o caminho que nos conduz à presença do Pai. A promessa da eternidade, de estar onde Ele está, revela a profundidade do amor divino e a continuidade da comunhão com nosso Salvador.

Você acredita que já tem um lugar lindo e especial preparado para você ao lado de Jesus?

Deixe essa promessa conduzi-la a uma confiança inabalável, sabendo que a presença de Cristo é o lar eterno que esperamos alcançar. Que a certeza dessa morada celestial inspire uma vida de fé, esperança e amor.

"Na casa do meu Pai há muitas moradas, e eu me sinto segura!"

ANOTAÇÕES

22 NOV

"Segui a paz com todos e a santificação, sem a qual ninguém verá o Senhor."
Hebreus 12:14

"Escolhidas por graça, vivemos em paz para refletir Sua luz."

ANOTAÇÕES

JESUS E OS ESCOLHIDOS

Muitas vezes já passamos por situações constrangedoras por estarmos perto de pessoas que não são de nosso agrado, que não fazem parte do nosso círculo de amigos, de irmãos da fé.

Aqui a Palavra nos orienta que a paz deve ser para com todos, sem exceção nem exclusão. O próprio Jesus nunca excluiu ninguém, mas fez seleção de doze para andar mais intimamente com Ele.

Ele olhou para o coração deles e os escolheu. Você seria escolhida por Jesus? Você acha que foi fácil para Jesus ensinar os seus discípulos a se santificar? Eles não vieram prontos, assim como você! Mesmo se sentindo não merecedora, é dessa maneira mesmo que Jesus quer nos moldar e forjar o nosso caráter.

Jesus, ao escolher cada uma de nós, nos convida a uma jornada de crescimento espiritual, refletindo Sua luz em um mundo que anseia por esperança. A santidade não é uma busca solitária, mas uma jornada coletiva. Somos chamadas a viver em paz com todos, cultivando relacionamentos que refletem o amor e a graça de Cristo.

Catia Regiely

A GARANTIA DA VITÓRIA

23 NOV

"Mas graças a Deus, que nos dá a vitória por nosso Senhor Jesus Cristo."
1Coríntios 15:57

Essas palavras ressoam como um hino de triunfo, revelando a fonte da nossa esperança e a garantia da vitória sobre o pecado e a morte.

"Mas graças a Deus" é um reconhecimento de que a vitória não é resultado de nossos esforços, mas um presente gracioso de Deus. Toda a glória é dirigida ao autor da nossa redenção.

"Que nos dá a vitória" destaca a ação contínua de Deus em nossa jornada. A vitória não é uma conquista momentânea, mas uma dádiva constante, sustentada pela graça que flui do coração divino.

"Por meio de Nosso Senhor Jesus Cristo" centraliza a nossa vitória na obra redentora de Jesus. Ele é a fonte, o meio e o fim da nossa vida, sendo uma peça central que garante a nossa libertação.

Sua vida tem sido um testemunho constante do triunfo de Jesus sobre o pecado e a morte?

Desafio você a entender o que é viver na liberdade que Ele conquistou para nós e experimentar a vitória em Cristo, que é uma fonte de consolo para nossa vida.

"Eu recebo a vitória por meio de Jesus Cristo."

ANOTAÇÕES

24 NOV

SEJA CORAJOSA

> "(...) porque o Senhor, teu Deus, é contigo, por onde quer que andares."
> **Josué 1:9**

O Senhor comissiona Josué a liderar o povo de Israel com uma mensagem de coragem e confiança. Essa exortação transcende os séculos, chegando até nós, convidando-nos a enfrentar a jornada da vida com ousadia e coragem, pois o Senhor está conosco em cada passo.

Eu sei que muitas vezes o medo quer nos assolar, mas é preciso nos fortalecer nessa promessa divina. Que o medo seja substituído pela confiança, pois o Senhor é nosso guia fiel, que nos conduz com amor e sabedoria.

Não tenha medo, mas avance com fé, sabendo que Deus chama e também capacita e sustenta. Ele não faz nada pela metade. É hora de esforçar-se e ter bom ânimo. Seja corajosa, pois Ele é contigo!

Se ainda está em dúvida, ou com medo, peça a Deus a força e a coragem necessárias e esteja aberta a essa promessa divina.

A expressão "Esforça-te, e tem bom ânimo" ressalta a necessidade de iniciativa e fé.

"O Senhor, meu Deus, está comigo em todos os passos da minha jornada."

ANOTAÇÕES

Catia Regiely

VOCÊ CRÊ?

25 NOV

> "(...) Deus, por meio de Jesus, os tornará a trazer juntamente com ele."
>
> **1 Tessalonicenses 4:14**

A declaração "Se cremos que Jesus morreu e ressuscitou" fundamenta nossa fé na obra redentora de Cristo.

A ressurreição de Jesus assegura nossa salvação e também estabelece a base para a esperança da ressurreição dos que creem. Assim também Deus, por meio de Jesus, trazendo em sua companhia os que dormem, antecipa a gloriosa reunião dos que partiram antes de nós.

A promessa é clara: os que dormiram na fé serão trazidos por Deus, juntamente com Jesus, para a plenitude da comunhão eterna. Nós esperamos encontrar conforto na promessa de que a morte não é o fim, mas o prelúdio para o encontro eterno com o Senhor e com aqueles que amamos na fé.

Lembre-se de que nossa esperança está firmemente fundamentada na obra redentora de Jesus Cristo. A esperança firme na promessa da ressurreição em Cristo é alicerçada na fé na Sua obra redentora. A morte não é o fim, mas um caminho para a vida eterna com Deus.

"A ressurreição de Jesus assegura nossa salvação."

ANOTAÇÕES

26 NOV

A VITÓRIA TRIPLA

> "A graça do Senhor Jesus Cristo, o amor de Deus e a comunhão do Espírito Santo sejam com todos vós."
> **2Coríntios 13:13**

Essas palavras encapsulam a essência da fé cristã, destacando a Trindade e a riqueza da comunhão divina.

A "graça do Senhor Jesus Cristo" refere-se ao favor imerecido que recebemos por meio do sacrifício de Cristo. Sua graça é fonte de nossa salvação e redenção.

O "amor de Deus" revela a natureza essencial do Criador, cujo amor incondicional nos envolve e transforma.

A "comunhão do Espírito Santo" destaca a presença constante e íntima do Espírito, que nos guia, consola e nos conecta com Deus.

Convido você a viver na plenitude dessas realidades divinas, experimentando a generosidade da graça, a profundidade do amor e a proximidade do Espírito Santo. Que a vitória tripla dessa mensagem esteja em cada aspecto de nossa jornada de fé, enchendo-nos de alegria, de paz e de uma profunda consciência da presença divina em nossa vida.

"Conecto-me com a Trindade e experimento a plenitude da graça do Senhor Jesus Cristo."

ANOTAÇÕES

MEDITE DIA E NOITE

27 NOV

> *"Antes, o seu prazer está na lei do Senhor, e na Sua lei medita de dia e de noite."*
>
> **Salmos 1:2**

A instrução de "na sua lei medita de dia e de noite" ressalta a constância na reflexão sobre Sua Palavra. Meditar na lei do Senhor, dia e noite, é mergulhar nas verdades que iluminam nosso caminho e nos aproximam do coração do Pai Celestial. A meditação não é um esforço esporádico, mas uma prática contínua que molda o pensamento, o caráter e a perspectiva da nossa vida.

Podemos encontrar o prazer na Palavra de Deus com a meditação constante em Seus ensinamentos, trazendo discernimento e fertilidade espiritual às áreas mais profundas de nossa vida.

O relacionamento diário com a Palavra viva de Deus é uma renovação espiritual.

Convido você a encontrar prazer na lei do Senhor e meditar nela constantemente, a partir de hoje. Reserve um tempo para dedicar-se somente a isso.

Ao encontrar prazer na Sua lei e meditar nela, você é renovada interiormente, permitindo que a Palavra de Deus transforme seus pensamentos e direcione seu coração.

> *"Meditar na lei do Senhor, dia e noite, é mergulhar nas verdades que iluminam nosso caminho."*

ANOTAÇÕES

28 NOV

PORQUE ELE É BOM

> *"Dai graças ao Senhor, porque ele é bom, porque a sua misericórdia dura para sempre."*
> **Salmos 136:1**

O chamado à gratidão pela insondável graça de Deus é uma resposta ao Seu caráter bondoso. A misericórdia dura para sempre, e nossa gratidão é uma resposta a essa graça insondável.

"Rendei graças ao Senhor" é uma expressão de espírito ativo. A gratidão não é apenas um sentimento, mas uma resposta deliberada ao caráter e à obra de Deus em nossa vida. É uma escolha consciente de suas vitórias.

"Porque ele é bom" destaca a espera intrínseca de Deus. Sua retenção não é condicional, mas uma característica fundamental de quem Ele é. É uma razão sólida para render graças, pois se manifesta em cada aspecto de nossa existência.

"Porque a sua misericórdia dura para sempre" sublinha a compaixão de Deus. Sua misericórdia não é passageira; é eterna.

Desafio você a render graças ao Senhor, independentemente de como está o seu coração, e que cada ação de graças seja uma expressão do nosso reconhecimento pelo Seu amor imutável, que dura para sempre.

"Em constante reconhecimento da Sua espera, dou graças ao Senhor, pois Sua misericórdia dura para sempre."

ANOTAÇÕES

Catia Regiely

PELA MINHA FÉ SOU JUSTIFICADA

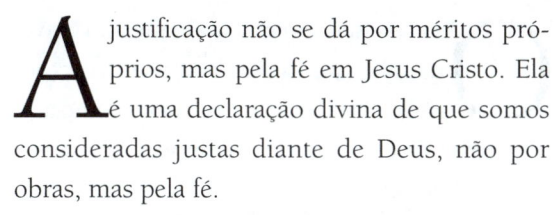

29 NOV

> *"Sendo, pois, justificados pela fé, temos paz com Deus, por nosso Senhor Jesus Cristo."*
> **Romanos 5:1**

A justificação não se dá por méritos próprios, mas pela fé em Jesus Cristo. Ela é uma declaração divina de que somos consideradas justas diante de Deus, não por obras, mas pela fé.

"Temos paz com Deus" destaca a consequência da justificação. A paz é uma restauração do relacionamento atrapalhado pelo pecado. A justificação abre caminho para a paz sincera e a firmeza com o Criador.

"Por meio de nosso Senhor Jesus Cristo" sublinha a centralidade de Cristo no processo redentor. Ele é o mediador da nossa justificação, o elo que nos reconcilia com Deus.

A paz que desfrutamos é resultado da obra consumada de Jesus na cruz, e nossa gratidão pela justificação nos inspira a viver em paz, confiantes na obra redentora de nosso Senhor e Salvador.

Ao sermos justificadas pela fé, experimentamos a paz com Deus por meio de Jesus Cristo.

"Sou justificada pela fé; experimento a paz com Deus por meio de Jesus Cristo."

ANOTAÇÕES

30 NOV

> "Assim brilhe a luz de vocês diante dos homens, para que vejam as vossas boas obras e glorifiquem o vosso Pai que está nos céus."
>
> **Mateus 5:16**

"Minhas ações falam mais alto que minhas palavras."

ANOTAÇÕES

_____
_____
_____
_____
_____
_____
_____

A ESSÊNCIA DE SUAS AÇÕES

O seu comportamento é a expressão visível daquilo que se passa em seu coração. Em cada interação, a maneira como agimos reflete a essência do nosso relacionamento com o Criador.

Cultivar um comportamento correto com princípios divinos não é apenas uma escolha, mas uma responsabilidade sagrada. Nos momentos de desafio, lembre-se de que suas ações revelam a quem você pertence. O amor, a segurança e a paciência são traços divinos que devem brilhar através de você.

Mantenha-se ancorada na Palavra de Deus, pois ela é a bússola que direciona seu comportamento. Ore continuamente, buscando a orientação do Espírito Santo para agir com sabedoria e graça. Lembre-se de que, em cada situação, você é uma embaixadora do Reino, transmitindo a luz que habita em você.

Seu comportamento não é apenas uma resposta ao ambiente, mas uma declaração de sua identidade em Cristo. Que o mundo veja em você a graça transformadora do Salvador.

DEZEMBRO

01 DEZ

DEUS É ESPÍRITO

> *"Deus é Espírito, e importa que os seus adoradores O adorem em espírito e em verdade."*
> **João 4:24**

Hoje somos chamadas a uma reflexão sobre a natureza espiritual de Deus. Ele não está confinado a templos feitos por mãos humanas, mas permeia todo o universo como um Espírito vivo e poderoso. Essa verdade transforma nosso desejo, convidando-nos a mergulhar em uma conexão íntima, não restrita a rituais, mas permeada pela sinceridade do nosso espírito.

Ao considerar que Deus é Espírito, compreendemos que Ele anseia por um espírito que transcenda o externo e mergulhe na essência do nosso ser. Nossa comunhão com Ele vai além de palavras e gestos; é uma dança sagrada entre nossas almas e o Criador. Nosso coração é o templo onde Deus escolhe habitar, e o estímulo verdadeiro emana do profundo conhecimento de Sua presença constante.

Quando nos voltamos para Ele em espírito e verdade, rompemos as barreiras que nos separam do divino. Não somos apenas espectadoras; somos participantes ativas no grande diálogo espiritual entre a humanidade e seu Criador. Que nossa vida se torne uma sinfonia de entusiasmo, em que cada nota é uma expressão autêntica do nosso amor por Deus, que é Espírito.

> **"Ele é a força que nos impulsiona, o sopro que dá vida à nossa fé."**

ANOTAÇÕES

Catia Regiely

MEU REFÚGIO NA ANGÚSTIA

02 DEZ

> "O Senhor também será um alto refúgio para o oprimido, um alto refúgio em tempos de angústia."
> **Salmos 9:9**

Você tem enfrentado dificuldades que está lhe trazendo angústias?

A expressão "O Senhor é um refúgio para os oprimidos" ressalta a compaixão divina para com os aflitos. Deus nos oferece um lugar seguro de consolo e proteção.

Quando a pressão da vida parece esmagadora e a angústia nos envolve, o Senhor se revela como um lugar de segurança e proteção. Ele estende Suas mãos amorosas para nos sustentar. Ele é o abrigo inabalável para aqueles que buscam refúgio em Sua presença.

A expressão "refúgio em tempos de angústia" destaca a disponibilidade constante de Deus em momentos desafiadores. Quando as dificuldades se aproximam, Ele se torna um refúgio sólido, um abrigo seguro onde encontramos consolo e força.

Hoje a convido a confiar no Senhor como seu único refúgio e encontrar consolo na verdade de que Ele é nosso abrigo em meio às tribulações. Busque a Sua presença como refúgio em tempos de angústia, confiando que Nele você encontrará segurança e consolo duradouro.

> **"Ele é meu abrigo seguro nos momentos mais difíceis."**

ANOTAÇÕES

03 DEZ

DERRUBANDO BARREIRAS

> *"Mas as suas maldades separaram vocês do seu Deus. Os seus pecados esconderam de vocês o rosto dele, e por isso Ele não os ouve."*
> **Isaías 59:2**

Muitas vezes construímos paredes invisíveis em nossa vida, separando-nos da presença restauradora de Deus. O pecado ergue barreiras, obscurecendo a comunhão que Ele deseja conosco. Isaías 59:2 revela a realidade dessa separação autoimposta. Contudo, a boa notícia é que Deus anseia demolir esses muros e restaurar a proximidade que perdemos.

Ao confessarmos nossos pecados, estamos dando o primeiro passo para a derrubada dessas barreiras. Deus é especialista em reconstruir o que foi destruído pelo pecado. Ele não apenas remove as barreiras, mas também restaura a alegria da comunhão que perdemos. Não importa quão alto seja o muro, a graça divina é mais poderosa, e Sua misericórdia é suficiente para nos alcançar.

A chave é abandonar o orgulho e permitir que Deus trabalhe em nós. Ele é o Mestre da restauração, capaz de transformar nossa vida e de fazer-nos novas criaturas Nele. Ao demolir o muro da separação, experimentamos a liberdade, a cura e a plenitude que só podem ser encontradas na presença amorosa do Pai.

> *"Derrubar os muros do pecado nos leva à liberdade divina."*

ANOTAÇÕES

Catia Regiely

A SUFICIÊNCIA DA GRAÇA

04 DEZ

"A minha graça te basta, porque o meu poder se aperfeiçoa na fraqueza."
2Coríntios 12:9

A grandiosidade dessa declaração revela que, quando nos sentimos frágeis, a graça de Deus se torna nossa fonte inesgotável de força.

Muitas vezes buscamos a perfeição e a autossuficiência, colocando todo o nosso entendimento à frente da graça Dele, deixando entrar a nossa arrogância e egoísmo. A verdade é que a graça de Deus é suficiente na libertação da pressão de sermos impecáveis. Essa busca da perfeição nunca será suprida se você não se permitir ser suprida pela graça de Deus.

Ele nos basta!

É na nossa vulnerabilidade que o poder de Deus se manifesta de maneira mais poderosa, transformando nossa capacidade em oportunidade para Sua graça brilhar.

Considere e respeite as suas limitações, permitindo que a graça de Deus opere em você.

Quando nos humilhamos diante Dele, experimentamos a verdadeira plenitude do Seu poder. Em nossas fraquezas, Ele se revela como o Deus que supre, fortalece e restaura.

> **"Na minha fraqueza, encontro a suficiência da graça de Deus."**

ANOTAÇÕES

05 DEZ

QUANDO DEUS SILENCIA

"Então vocês clamarão a mim, virão orar a mim, e eu os ouvirei."
Jeremias 29:12

"Não desista de esperar; Deus está escrevendo uma história única para você."

ANOTAÇÕES

Às vezes nossas orações parecem ecoar em silêncio, e a incerteza nos assalta. Mas, querida amiga, saiba que Deus ouve cada palavra que sai do seu coração. A espera não é sinal de abandono, mas um convite à persistência na fé. Mergulhe na Palavra, na qual encontramos promessas da fidelidade divina.

Quando as respostas tardam, Deus está moldando algo grandioso nos bastidores de sua vida. Assim como o oleiro cuida e forma o vaso com paciência, o Pai Celestial trabalha em nós.

Mantenha a esperança viva, pois Deus não apenas responde, mas aperfeiçoa seu caráter durante o processo.

Refugie-se na gratidão, mesmo na esperança. Agradeça o que Ele já fez, confiando que Seu cronograma é perfeito.

A oração não respondida não é uma negação, mas uma preparação para o extraordinário. Mantenha a chama da fé acesa, pois no tempo de Deus as vitórias fluirão como um rio.

MULHER ENCANTADORA

06 DEZ

"Enganosa é a graça, e vã, a formosura, mas a mulher que teme ao Senhor, essa será louvada."
Provérbios 31:30

A verdadeira mulher encantadora é aquela cujo coração se reflete no temor a Deus. Provérbios 31 destaca virtudes como a força, a dignidade e a sabedoria. Uma mulher encantadora é aquela que, como descrito em 1Pedro 3:3-4, enfeita seu coração com a incorruptível beleza de um espírito manso e tranquilo.

A compaixão é sua marca registrada, seguindo o exemplo de Rute e de sua benevolência: procurando servir, amar e cuidar dos outros.

Seu caráter reflete os frutos do Espírito, conforme Gálatas 5:22-23.

Acima de tudo, ela busca a Deus em tudo o que faz. E é conhecida por buscar agradar a Deus em sua jornada. Sua beleza é a luz de Cristo brilhando em suas ações.

Você é essa mulher! Acredite!

Não se julgue e volte para o caminho, se você estiver fora dele.

Busque a santidade e reflita o caráter de Cristo, e que você descubra quão encantadora você é aos olhos de Deus e daqueles ao seu redor.

"Cultivar a beleza interior é prioridade!"

ANOTAÇÕES

07 DEZ

LIVRA-ME, Ó DEUS!

"Ele me invocará, e eu lhe responderei; estarei com ele na angústia, livrá-lo-ei e o glorificarei."

Salmos 91:15

"Quando a tempestade da vida se agita, Ele é nossa segurança inabalável."

ANOTAÇÕES

Em meio às tormentas da vida, clamamos: "Livra-me, ó Deus!".

O Salmo 91:15 nos garante que nosso clamor é uma chave que abre os portais da intervenção divina. Deus não apenas ouve, mas responde. Ele não só está presente nas angústias, mas também nos liberta.

Quando enfrentamos desafios, é crucial lembrar que o Criador está atento aos anseios do coração. Ele não fica indiferente à nossa aflição, mas em Sua infinita misericórdia responde ao nosso chamado. Nosso Deus é especialista em libertar-nos das amarras do medo, da ansiedade e das situações adversas.

Ao nos apegarmos a Ele, experimentamos a segurança que vai além das limitações humanas. Sua promessa não é apenas nos livrar, mas também nos elevar a novos patamares de glória. Somos destinadas a triunfar sobre as adversidades, pois Ele não apenas nos liberta, mas nos transforma em testemunhas da Sua grandiosidade.

Catia Regiely

SEJA UMA LÍDER DO REINO

08 DEZ

"Abre a sua boca com sabedoria, e a lei da beneficência está na sua língua."
Provérbios 31:26

A liderança da mulher no Reino de Deus é uma expressão poderosa da sabedoria divina. Em Provérbios 31, vemos a imagem da mulher virtuosa que não apenas gerencia bem o lar, mas também é empreendedora, compassiva e teme ao Senhor. Ela é uma líder nos diversos aspectos de sua vida.

A liderança da mulher no Reino é marcada pela graça, sabedoria e orientação divina. Ela inspira e guia não apenas com palavras, mas com ações que refletem o caráter de Cristo.

A mulher líder do Reino é uma serva dedicada, que modela o amor de Cristo em sua liderança e cultiva um ambiente de respeito e cuidado.

Você já consegue se ver como uma líder do Reino? Assim como Débora, juíza em Israel, demonstrou coragem e sabedoria, você também pode seguir o seu exemplo, confiando primeiramente no Senhor em todas as suas decisões, e depois em você mesma.

Seus passos são guiados pela luz da fé, e sua força vem da fonte inesgotável que é o Espírito Santo. Seja uma mulher que não se intimida diante dos desafios, pois você tem a coragem de uma filha do Rei.

"Como mulheres do Reino, somos chamadas a enfrentar cada dia com coragem, confiança e alegria."

ANOTAÇÕES

09 DEZ

O AMOR QUE ESCUTA

> *"Ainda que meu pai e minha mãe me abandonem, o Senhor me acolherá."*
> **Salmos 27:10**

Nos momentos mais silenciosos, em que você pensou que ninguém poderia te ouvir, o coração amoroso do Pai Celestial está atento ao som da sua voz.

Às vezes a vida nos faz sentir solitárias, como se ninguém entendesse os anseios do nosso coração. No entanto, a promessa divina é clara: mesmo que as figuras terrenas nos enganem, o Senhor está sempre pronto para nos acolher. Seja em lágrimas silenciosas, seja em risos jubilosos, Ele é o confidente perfeito, que nos escuta com paciência e amor incondicional.

A oração é a chave que abre a porta da comunhão com o Pai. Não hesite em compartilhar seus pensamentos, desejos e medos com aquele que a conhece desde o ventre. Deus anseia por uma conversa íntima, e a oração é o meio pelo qual podemos experimentar a doce presença do nosso Pai Celestial.

Confie que, ao falar com Deus, você não está falando apenas para o vazio; está compartilhando com o Criador do universo, o Pai que quer ouvir cada detalhe de sua vida.

"No silêncio, Deus escuta o clamor do coração."

ANOTAÇÕES
_____
_____
_____
_____
_____
_____
_____
_____

A SUA FIDELIDADE É INESGOTÁVEL

10 DEZ

"Saberás, pois, que o Senhor, teu Deus, é Deus, o Deus fiel, que guarda a aliança e a misericórdia até mil gerações aos que O amam e guardam os Seus mandamentos."

Deuteronômio 7:9

A confiança na fidelidade de Deus é fundamentada em Sua natureza divina, e não na nossa concepção de fidelidade terrena, de homem para homem. Ele é o fiel cumpridor da aliança estabelecida com Seu povo. Sua misericórdia é inesgotável, estendendo-se por gerações e tocando a vida daqueles que O amam e obedecem a Seus mandamentos.

Confiamos Nele, pois Ele é a própria fidelidade, Ele é imutável e vive de geração em geração.

E é esse mesmo Deus fiel que guarda o Seu pacto e a misericórdia pelas gerações, que não se esquece dela nem a deixa de lado.

Meu convite de hoje é um chamado para amá-lo e guardá-lo em nosso coração, cumprindo e manifestando os Seus mandamentos, para que você possa experimentar a constância do Seu amor e a certeza de Sua fidelidade em sua vida.

A aliança com Deus sempre é inquebrável, não tem começo nem fim, é constante.

"Ele é o fiel cumpridor da aliança estabelecida com Seu povo."

ANOTAÇÕES

11 DEZ

PEÇA SABEDORIA E RECEBA

> *"Se algum de vós tem falta de sabedoria, peça-a a Deus... e ser-lhe-á dada."*
> **Tiago 1:5**

"Eu peço sabedoria a Deus, e Ele me dá liberalmente!"

ANOTAÇÕES

_____
_____
_____
_____
_____
_____
_____
_____

A sabedoria não é um luxo, mas necessidade para uma jornada cristã. "Peça-a a Deus, que a todos dá liberalmente" revela a disposição graciosa de Deus em atender nossas súplicas por sabedoria. Ele não dá apenas abundantemente, mas faz isso sem repreensão.

A busca pela sabedoria é encorajada, e Deus acolhe nossos pedidos de discernimento.

Convido você a buscar a sabedoria divina e que, ao meditar sobre o texto de hoje, você o considere uma necessidade constante de orientação, uma prática regular em sua vida, permitindo que a luz divina guie todas as suas decisões e ações diárias.

Buscar sabedoria é como encontrar-se com Deus todos os dias. Ela mesma diz que está nas esquinas gritando, mas muitas vezes não a ouvimos. Então, hoje é dia de ouvi-la e reconhecer a sua necessidade, e de pedir a Deus que a dê para nós. Ele generosamente a concede para nós sem medida e transbordante, pois é agradável a Ele atender-nos.

Catia Regiely

ELE TE CHAMA À INTIMIDADE

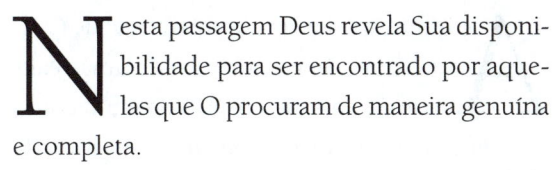

12 DEZ

"Buscar-me-eis e me achareis quando me buscardes de todo o seu coração."
Jeremias 29:13

Nesta passagem Deus revela Sua disponibilidade para ser encontrado por aquelas que O procuram de maneira genuína e completa.

A busca por Deus não é apenas uma atividade espiritual, mas uma jornada do coração. Ele não apenas deseja nossas palavras ou ações superficiais, mas anseia por um compromisso profundo e total. A promessa divina de ser encontrada ressalta a natureza relacional e acessível de Deus.

Em um mundo cheio de distrações, essa busca exige foco e determinação. Ao nos voltarmos para Deus com sinceridade, não encontramos apenas respostas para nossas perguntas, mas também um relacionamento transformador que molda nossa identidade e propósito.

Busque a presença de Deus de todo o seu coração, medite nessa Palavra neste dia e seja inspirada a mergulhar mais e mais nesse relacionamento de intimidade que Deus deseja de você.

"Deus nos chama à intimidade com Ele."

ANOTAÇÕES

13 DEZ

A CERTEZA DA VOLTA

> "Assim também Cristo (...) aparecerá segunda vez, sem pecado, aos que O aguardam para a salvação."
>
> **Hebreus 9:28**

A firme esperança na volta triunfal de Cristo é um alicerce, uma base, uma realidade da nossa fé cristã. Não é um conto de fadas, uma narrativa envolvente, uma jornada de um herói.

É a nossa realidade! Ele foi, mas Ele voltará. Estamos 100% certas disso e não há dúvida em nós.

A primeira vinda de Cristo foi um ato redentor. Ele ofereceu Sua vida para nos libertar do pecado. Contudo, a promessa não terminou ali. Uma segunda vinda é anunciada, trazendo a promessa de redenção final, em que Ele virá novamente para estabelecer o pleno cumprimento da salvação.

Ele se ofereceu para tirar os pecados e aparecerá novamente para a salvação daqueles que O esperam, aguardam e O amam de todo o coração e mente.

Ao vivermos na expectativa dessa promessa, estamos motivadas a permanecer firmes na fé, em constante adoração, aguardando uma volta gloriosa do nosso Salvador, que será recebido por nós com grande alegria.

"Sou motivada a permanecer firme na fé, aguardando a gloriosa volta do meu Salvador."

ANOTAÇÕES

Catia Regiely

RECONHECENDO AS MISERICÓRDIAS DO SENHOR

14 DEZ

"(...) Porque as suas misericórdias não têm fim; renovam-se cada manhã."
Lamentações 3:22-23

Essas palavras nos trazem conforto e lembram-nos da natureza incessante do amor e da compaixão divina.

A expressão "As misericórdias do Senhor são a causa de não sermos consumidos" destaca a proteção divina que nos preserva da destruição total. É a espera de Deus que nos envolve, mesmo quando merecemos o contrário.

"Porque as suas misericórdias não têm fim" enfatiza a natureza infindável do amor de Deus. Sua misericórdia transcende as falhas humanas, oferecendo uma promessa constante de renovação e restauração.

"Renovam-se cada manhã", "Grande é a tua fidelidade" expressam a atualização diária da graça divina. A cada amanhecer, somos lembradas da fidelidade de Deus, que se manifesta de maneira fresca e renovada.

Que a cada manhã você seja marcada pela certeza de que a misericórdia do Senhor a sustenta, renova e orienta, pois a Sua fidelidade é realmente infinita.

A esperança na promessa da atualização diária em Cristo é um bálsamo para a alma.

"As misericórdias infindáveis do Senhor me fortalecem."

ANOTAÇÕES

15 DEZ

A GRAÇA QUE CAPACITA

"Porque a graça de Deus se manifestou, trazendo salvação a todos os homens (...)."
Tito 2:11-12

Muitas vezes nos sentimos inconvenientes e incapazes. No entanto, não devemos esquecer que a graça de Deus é o combustível que capacita cada passo que damos. Essa graça não é restrita, não faz acepção de pessoas; ela se manifesta de maneira salvadora a todos nós.

A graça não é apenas um presente, mas uma fonte constante de capacitação. Ela nos fortalece quando nos sentimos frágeis, guia-nos quando estamos perdidas e levanta-nos quando caímos. Em vez de nos deixarmos afundar em nossas limitações, a graça nos ergue para além delas, capacitando-nos a viver uma vida que reflita o amor e a segurança de Deus.

Não somos deixadas à mercê de nossas próprias forças; estamos envolvidas pela graça que capacita. A graça não é apenas um evento esporádico em nossa vida, mas um rio constante que flui do coração de Deus para o nosso.

"Em nossas fraquezas, Sua graça se revela de maneira poderosa."

ANOTAÇÕES

JESUS É A MINHA HERANÇA

16 DEZ

"(...) Deus é a fortaleza do meu coração e a minha herança para sempre."
Salmos 73:26

O refúgio seguro na Palavra de Deus é uma fonte de fortaleza. Mas e quando nossas forças física e emocional falham, que fazer?

Tirar uma *selfie* e postar para mostrar quanto estamos tristes e em sofrimento? Reunir-se em grupos de amigos e chorar nossas dores?

Que fazer quando um dia mau nos encontra e quer nos abater, nos afligir, nos machucar e nos derrotar?

Que fazer quando, apesar de tudo isso e com tudo isso, não temos com quem contar, nos sentimos sozinhas, solitárias e sem ajuda?

Nós temos uma herança, Jesus, e podemos confiar que Ele é a rocha firme que sustenta o nosso coração, nossa esperança, nossa fé, nossa alegria, coragem, força e nos coloca de pé.

Isso acontece quando mergulhamos profundamente na Palavra, e em nosso relacionamento com Deus encontramos acolhimento, consolo, alívio e segurança que perduram para sempre.

"Mesmo quando minha carne e coração desfalecem, confio que Ele é a fortaleza do meu coração."

ANOTAÇÕES

17 DEZ

O SENHOR ME QUER PRÓSPERA

> "Amado, oro para que você prospere em todas as coisas e tenha saúde, assim como prospera a sua alma."
>
> **3João 1:2**

"A minha missão é honrar a Deus para prosperar conforme a Sua vontade!"

ANOTAÇÕES

_____
_____
_____
_____
_____
_____
_____
_____

A Bíblia nos oferece uma perspectiva única sobre a prosperidade, que vai além da riqueza material e se estende ao bem-estar espiritual e emocional. Em Jeremias 29:11, Deus declara: "Porque sou eu que conheço os planos que tenho para vocês, planos de fazê-los prosperar, e não de causar dano, planos de dar a vocês esperança e um futuro".

A verdadeira prosperidade, segundo as Escrituras, está conectada à vontade de Deus para nossa vida. E nos revela que a prosperidade bíblica envolve não apenas receber, mas também honrar a Deus com nossas atitudes de generosidade, um princípio que resulta em bênçãos abundantes.

Busque, em sua jornada, uma prosperidade que abrange todas as áreas da vida – espiritual, emocional e material –, porém alinhada com a vontade de Deus, honrando-O em todas as circunstâncias.

Dessa forma, experimente uma prosperidade que transcende as riquezas passageiras e se estende à verdadeira plenitude da vida em Deus.

TODOS PECARAM

18 DEZ

"Pois todos pecaram e carecem da glória de Deus (...)."
Romanos 3:23-24

Este trecho ressalta a condição comum da humanidade, marcada pelo pecado e pelo afastamento da glória de Deus. Todos pecaram!

A mensagem central desse texto, entretanto, é uma oferta transformadora de Deus: a justificação gratuita pela Sua graça. Em meio às nossas falhas, Deus providenciou redenção por intermédio de Cristo Jesus. A graça divina, não merecida, oferece perdão, restauração e reconciliação.

Desafio você a contemplar a grandiosidade da graça que nos alcançou. Podemos viver em resposta a essa graça buscando a santidade, amando o próximo e compartilhando a boa notícia da redenção que encontramos em Jesus Cristo.

A gratidão pela graça redentora é uma resposta ao entendimento da condição humana, ou seja, *todos pecaram*, mas pela graça de Deus somos justificadas gratuitamente por meio da redenção em Cristo Jesus.

Ao refletirmos sobre essa verdade, somos impulsionadas a viver a vida com gratidão e consagração ao Senhor.

"Todos pecaram, mas agora pela graça eu tenho a redenção!"

ANOTAÇÕES

19 DEZ

QUE É TER SUCESSO?

"Pois, que aproveitaria ao homem ganhar todo o mundo e perder a sua alma?"
Marcos 8:36

"O sucesso está entrelaçado com a busca constante da vontade de Deus."

ANOTAÇÕES

À luz da Palavra de Deus, o verdadeiro sucesso não é medido por padrões mundanos, mas pela perspectiva divina. Josué 1:8 nos orienta: "Não cesses de falar deste Livro da Lei; antes, medita nele dia e noite, para que tenhas cuidado de fazer conforme tudo quanto nele está escrito; então, farás prosperar o teu caminho e serás bem-sucedido".

O sucesso, segundo a Bíblia, está entrelaçado com a busca constante da vontade de Deus, refletida na meditação e na obediência à Sua Palavra. Salmos 1:1-3 compara o homem bem-sucedido à árvore plantada junto à corrente de águas, que dá fruto no tempo certo. Da mesma forma, prosperamos quando nossa vida está enraizada na verdade divina.

O sucesso bíblico não é externo, mas, sim, interno, refletindo a transformação do coração.

Em todas as suas realizações, busque alinhar os seus propósitos com a vontade de Deus. Que o verdadeiro sucesso seja medido pela fidelidade aos princípios divinos, pela compaixão ao próximo e pelo crescimento espiritual.

Catia Regiely

SUPERE A ANSIEDADE

20 DEZ

"Não andeis ansiosos por alguma coisa (...)."
Filipenses 4:6

A exortação para não ser ansiosa não é uma negação da realidade das preocupações, mas um convite à confiança no cuidado divino.

A oração, nesse contexto, não é apenas um meio de apresentar nossas necessidades, mas também de cultivar uma comunhão constante com Deus.

A ação de graças integra-se à oração como um reconhecimento da fidelidade passada de Deus e uma antecipação de Sua fidelidade futura. Ao agradecer antes mesmo de recebermos uma resposta, demonstramos uma confiança profunda em exceções divinas.

Convido você a exercitar a gratidão pelo menos uma vez por dia, e, quando a ansiedade apertar, respire fundo e escreva ou fale um motivo pelo qual você é grata naquele momento. Se não conseguir encontrar, se esforce!

Encorajo você a transformar cada preocupação em uma oportunidade de oração e agradecimento. Confie suas preocupações a Deus, sabendo que Ele a ouve.

"Eu alcanço a paz que supera a ansiedade em Deus."

ANOTAÇÕES

21 DEZ

O SENHOR É REI

> "(...) O Senhor se revestiu e cingiu de fortaleza; o mundo, também, está firmado e não poderá vacilar."
> **Salmos 93:1**

O Senhor reina! Ele está vestido de majestade; o Senhor está vestido, cingindo-se de fortaleza.

Essa declaração ressoa como uma profunda verdade teológica e uma mensagem reconfortante para nós. É uma afirmação central, que revela a soberania divina sobre todas as coisas. Uma verdade que inspira confiança, entusiasmo e submissão a um Rei que é eterno, imutável e cheio de glória.

A vestimenta de majestade simboliza a dignidade e a autoridade do nosso Deus, enfatizando a Sua força e poder inabaláveis. Esse versículo nos lembra que, em meio às nossas dúvidas e desafios, a realidade divina permanece constante.

Como servas, podemos confiar que nosso Deus é majestoso e poderoso, governando sobre todos e tudo. A confiança na soberania de Deus é fundamentada em Sua majestade e fortaleza. Ele é o Rei que governa com autoridade suprema.

"Eu confio na soberania de Deus, e, ao reconhecer Sua majestade e fortaleza, encontro segurança."

ANOTAÇÕES

A SUA IDENTIDADE NÃO MUDA

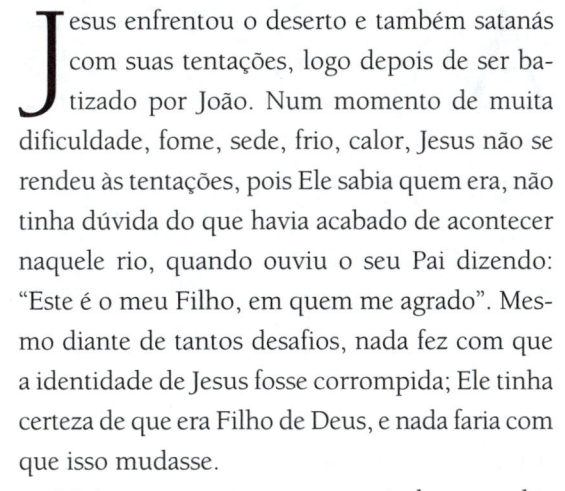

22 DEZ

"E eis que uma voz dos céus dizia: Este é o meu Filho amado, em quem me agrado."
Mateus 3:17

Jesus enfrentou o deserto e também satanás com suas tentações, logo depois de ser batizado por João. Num momento de muita dificuldade, fome, sede, frio, calor, Jesus não se rendeu às tentações, pois Ele sabia quem era, não tinha dúvida do que havia acabado de acontecer naquele rio, quando ouviu o seu Pai dizendo: "Este é o meu Filho, em quem me agrado". Mesmo diante de tantos desafios, nada fez com que a identidade de Jesus fosse corrompida; Ele tinha certeza de que era Filho de Deus, e nada faria com que isso mudasse.

Muitas vezes caímos porque ainda temos dúvida da nossa verdadeira identidade. Deixamos dúvidas, medos, incertezas, ansiedade tomar conta da nossa mente, e assim colocamos em xeque tudo o que Deus diz sobre nós.

Essa identidade também é sua: você é filha! E o desafio de hoje é assumir a sua identidade eterna de filha, e vivê-la a cada dia. Mesmo com todas as lutas, tentações, dificuldades, você continuará sendo filha, e isso nunca mudará.

"Eu sou assim: filha! E será sempre assim!"

ANOTAÇÕES

23 DEZ

A BELEZA DA ORGANIZAÇÃO

"Mas tudo seja feito com decência e ordem."
1Coríntios 14:40

"Ordem na vida, espaço para Deus agir."

ANOTAÇÕES

A vida muitas vezes nos desafia com suas demandas e responsabilidades. A busca pela organização pode parecer uma jornada árdua, mas lembre-se de que o próprio Deus é um Deus de ordem. Em 1 Coríntios 14:40, somos lembradas de que tudo deve ser feito com decência e ordem. A organização não é apenas uma prática mundana, mas uma expressão de vida em sintonia com a harmonia divina.

A organização não se trata apenas de organizar espaços financeiros, mas também de ordenar os pensamentos, planejar metas e gerenciar nosso tempo com sabedoria. Quando nos esforçamos para ser organizadas, refletimos a imagem de um Deus que criou o universo com precisão e equilíbrio. Organizar-se é uma forma de honrar a Deus e ser fiel aos talentos que Ele nos confiou.

Ao mantermos ordem em nossas vidas, estamos construindo um altar onde a presença divina pode habitar sem obstáculos. Não permita que o caos roube a paz que Deus deseja derramar sobre você. Seja organizada, pois na ordem existe espaço para o Senhor agir.

Catia Regiely

RECONSTRUINDO DAS CINZAS

24 DEZ

"(...) reconheça o Senhor em todos os seus caminhos, e ele endireitará as suas veredas."
Provérbios 3:5-6

Em meio à traição, a dor parece insuportável, mas lembre-se de que o Senhor está perto dos corações quebrados. Ele é uma fonte de cura que transcende toda decepção. A traição não define você; é apenas uma página em seu livro de vida.

Ao enfrentar a traição, olhe para o exemplo de José, que foi traído por seus irmãos, mas manteve sua fé em Deus. Assim como José, você também pode emergir mais forte e mais confiante. Confie no processo de cura divina e saiba que Deus está escrevendo uma nova história para você. Perdoe, não por eles, mas por você mesma, para libertar seu coração do peso da amargura.

Deus é especialista em transformar cinzas em beleza. Ele pode restaurar o que foi quebrado e trazer alegria onde houve tristeza. Permita que Ele guie você nesse caminho de cura, e saiba que o amor Dele é mais forte do que qualquer traição. Ao confiar em Deus, você descobrirá que a superação é possível, e sua vida será um testemunho da fidelidade divina.

"Das cinzas à vitória, Deus reconstrói!"

ANOTAÇÕES

25 DEZ

PARE DE RECLAMAR!

> *"Em tudo, dai graças, porque esta é a vontade de Deus em Cristo Jesus para convosco."*
> **1 Tessalonicenses 5:18**

"A murmuração nos aprisiona, mas a gratidão nos liberta."

ANOTAÇÕES

Muitas vezes, nossas palavras refletem nossos corações. Hoje, somos desafiados a abandonar a murmuração e voltamos para a gratidão. A murmuração é uma sombra que obscurece a luz da presença de Deus em nossas vidas. Quando nos queixamos, fechamos os olhos para as inúmeras vitórias que Ele derrama sobre nós diariamente.

Em meio aos desafios diários, lembremos que a gratidão não nega a realidade das dificuldades, mas transforma nossa perspectiva. Em vez de focalizarmos nas tempestades, concentramo-nos na mão constante de Deus, que nos sustenta. A gratidão é a linguagem do coração que permite a soberania divina em todas as situações.

Hoje, pare de reclamar e comece a contar as vitórias!

Cada reclamação pode ser transformada em louvor quando escolhemos ver a mão amorosa de Deus em nossa jornada. Que nossas palavras se tornem um hino de gratidão, ecoando a confiança em Deus.

Catia Regiely

DESPERTE DO SONO DA PROCRASTINAÇÃO

26 DEZ

> *"Assim, pois, não sois mais estrangeiros, nem forasteiros, antes sois concidadãos dos santos e membros da família de Deus."*
> **Efésios 2:19**

Quantas vezes adiamos tarefas importantes, e até mesmo aquelas triviais, cobrindo-as com as desculpas da procrastinação! É fácil cair no sono da inatividade, perdendo oportunidades valiosas. Contudo, somos chamadas para despertar. Em Efésios 2:19, somos lembradas de que não somos estranhas nesta jornada, mas parte da família de Deus, com um propósito divino.

A procrastinação muitas vezes nos faz esquecer quem somos em Cristo, desviando-nos do caminho traçado por Ele. Não permita que o amanhã substitua o hoje. Cada momento é uma dádiva para agir de acordo com a vontade do Senhor. Em vez de adiar, abrace a oportunidade de ser uma luz no mundo, satisfeita com amor, graça e diligência.

Lembre-se: Deus confiou a você talentos únicos. Não deixe que a procrastinação te mantenha escondida. Seja uma mulher ativa e fiel ao que Ele lhe confiou. Quando procrastinamos, não apenas adiamos nossas responsabilidades terrenas, mas também negligenciamos o chamado que Ele nos deu.

Não adie, aja agora!

"Agir hoje molda o amanhã!"

ANOTAÇÕES

27 DEZ

ALMEJE DEIXAR UM LEGADO

"Ensina a criança no caminho em que deve andar, e, ainda quando for velho, não se desviará dele."
Provérbios 22:6

"Legados são forjados nas escolhas diárias."

ANOTAÇÕES

O desejo de deixar um legado transcende o tempo e reflete a essência do propósito que Deus plantou em seu coração. Assim como a Palavra nos instrui a ensinar as crianças no caminho de Deus, somos chamadas a viver de maneira que impacte as gerações futuras. Cada escolha, cada palavra é uma semente que plantamos no solo da eternidade.

Ao almejar deixar um legado, lembre-se de que não se trata apenas de realizar grandes feitos, mas de viver uma vida que aponta para Cristo. Sejamos mulheres que, em meio aos desafios, erguem a bandeira da fé e da perseverança.

Nos momentos de dificuldade, confie no Senhor e permaneça fiel à Sua Palavra. Deixe que a luz que brilha em você ilumine o caminho daqueles que virão depois. Seja uma fonte de inspiração e coragem, mostrando que a verdadeira força vem da dependência de Deus.

Deixe que o amor de Deus seja o alicerce do seu legado, pois somente o que é construído sobre Ele permanece inabalável.

Catia Regiely

GUARDANDO SUA LÍNGUA DO MAL

28 DEZ

"Guarda a tua língua do mal e os teus lábios de falarem dolosamente."
Salmo 34:13

A Bíblia nos lembra que a língua tem o poder de gerar vida ou morte. Em nossos dias agitados, muitas vezes negligenciamos o impacto de nossas palavras. Quando permitimos que palavras negativas fluam, ferimos os outros e, inadvertidamente, a nós mesmas. Deus nos chama para sermos guardiãs de nossa língua, para cultivarmos um jardim de palavras que inspiram, curam e edificam. Imagine como seria se nossas palavras fossem sempre fonte de vitória!

Deus nos chama a sermos vigilantes com o que dizemos, a refletir Sua graça e amor em cada palavra. Ao guardar nossa língua, escolhemos o caminho da sabedoria e do amor. Em Provérbios 21:23, lemos que "quem guarda a boca e a língua guarda a sua alma das angústias."

A transformação começa quando, conscientemente, escolhemos palavras de amor, esperança e encorajamento. Em vez de alimentar o mal, vamos nutrir o bem. Que nossa língua seja instrumento de graça e compaixão.

"Palavras que curam não ferem."

ANOTAÇÕES

29 DEZ

> *"Portanto, submetam-se a Deus. Resistam ao Diabo, e ele fugirá de vocês."*
> **Tiago 4:7**

VITÓRIA SOBRE AS TREVAS

"Com Deus, a resistência se torna triunfo!"

ANOTAÇÕES

_____
_____
_____
_____
_____
_____
_____
_____
_____

Somos confrontadas com desafios que buscam desviar-nos do caminho da fé. O inimigo, como leão rugidor, tenta semear dúvidas, medo e desespero em nosso coração. Contudo, a Palavra de Deus nos assegura: "Resistam ao Diabo, e ele fugirá de vocês". Resistir não é apenas um ato de coragem, mas uma rendição total a Deus.

A resistência inicia-se com a submissão a Deus. Quando nos humilhamos diante do Altíssimo, Ele nos capacita a resistir às artimanhas do maligno. Em meio às adversidades, encontramos força na oração, na meditação das Escrituras e na comunhão com o Espírito Santo. Não somos deixadas à mercê do inimigo; somos revestidas da armadura divina.

Resistir ao Diabo implica em manter uma postura de fé inabalável. Mesmo diante das tormentas, permanecemos firmes na promessa de Deus. Cada resistência, cada momento de permanência firme na fé é um passo em direção à vitória. É uma declaração ousada de que, com Deus ao nosso lado, somos mais que vencedoras.

Catia Regiely

A FORÇA DA PACIFICADORA

> "Bem-aventurados os pacificadores, porque serão chamados filhos de Deus."
> **Mateus 5:9**

Deus chama as mulheres a serem pacificadoras. Ser uma mulher pacificadora não significa evitar confrontos, mas abraçar a responsabilidade de trazer paz em meio ao caos. A Bíblia nos lembra que os pacificadores são chamados filhos de Deus, revelando a nobreza e a ligação especial com o Criador. Em sua jornada, a mulher pacificadora não apenas busca a ausência de conflitos, mas é guiada pelo amor e pela compaixão divina para reconciliar corações e restaurar relacionamentos. A pacificação não é sinal de fraqueza, mas de uma força que transcende as situações.

Em suas palavras e ações, a mulher pacificadora reflete a sabedoria celestial, irradiando luz mesmo nas situações mais sombrias. Ela não permite que a amargura encontre morada em seu coração, pois compreende que a verdadeira vitória está na superação do mal com o bem. Seu sorriso é uma ponte que conecta almas, e sua presença é um bálsamo que acalma tempestades emocionais. Ao seguir os passos do Príncipe da Paz, ela se torna um farol que orienta os outros a trilhar o caminho da reconciliação.

"Pacificar é conquistar."

ANOTAÇÕES

31 DEZ

> *"Eis que faço uma coisa nova, que está saindo à luz; porventura não o percebeis?"*
>
> **Isaías 43:19**

Feliz ano-novo!

ANOTAÇÕES

_____
_____
_____
_____
_____
_____
_____
_____

TODO TEMPO É TEMPO DE RECOMEÇAR

Mais um ano se foi, e quais foram os seus resultados? Faça uma lista das pequenas e grandes vitórias e celebre cada uma delas.

Um novo ano está chegando, e eu desejo que seja mais que uma mudança no calendário: uma oportunidade de experimentar as novas bênçãos de Deus.

Confie mais na promessa de que Ele está sempre fazendo coisas novas em sua vida. E que você possa ter esperança nos planos que Deus tem, pois eles sempre serão maiores e melhores do que você pode imaginar. Que, ao enfrentar o desconhecido do ano que se inicia, você ancore a sua fé na certeza de que nunca estará sozinha.

Que esse novo ano seja uma jornada de crescimento espiritual, de compaixão e amor ao próximo. Que você resplandeça como testemunha do amor incondicional de Deus, e que Seu favor esteja sobre você em cada novo dia.

Que celebremos não apenas o virar de uma página no calendário, mas o contínuo desdobrar da graça divina em nossa vida. Que a paz, a alegria e a esperança do Senhor permeiem cada momento do novo ano. Que Ele nos abençoe ricamente, guiando-nos com Sua mão amorosa.

Catia Regiely